LAIS FÉERIQUES
DES
XIIᵉ et XIIIᵉ SIÈCLES

LAIS FÉERIQUES
des
XIIe et XIIIe siècles

Présentation, traduction et notes
par
Alexandre MICHA

GF Flammarion

© 1992, Flammarion, Paris, pour cette édition.
ISBN : 2-08-070672-1

PRÉFACE

Le mot lai évoque tout de suite le nom de Marie de France qui a écrit au XIIᵉ siècle une douzaine de ces courts poèmes narratifs. Ceux que l'on va lire ici sont dans la tradition du genre et, sans avoir la qualité de ceux de la poétesse, ils ne manquent ni de charme ni d'intérêt.

Le lai est à l'origine une composition musicale, un *son*, disait-on en ancien français, exécutée sur la harpe ou la rote, qui relate une aventure, c'est-à-dire un événement plus ou moins merveilleux. De cette parti-tion musicale s'est détaché le texte pour donner un genre narratif. Certains de nos lais portent la trace de cette origine : un Irlandais, dans *Aubépine* chante le lai d'Aélis et si l'on évoque parfois la musique à écouter et à retenir (*Graelent, Doon, Nabaret*), ces œuvrettes sont présentées comme des contes à dire : « Je vais vous dire..., je veux vous conter... » Elles sont anonymes.

Les sujets en sont placés sous le patronage des Bre-tons et se déroulent dans un décor « breton » : le théâtre en est l'Angleterre (*Tyolet, Aubépine, Mélion*) ou la Bretagne armoricaine (*Graelent, Tydorel, le Libertin*) ou l'Écosse (*Désiré, Doon*). La date de composition se situe au dernier tiers du XIIᵉ siècle et au premier quart du XIIIᵉ.

L'aventure, c'est ce que recherchent ou que rencontrent sous la contrainte tous ces jeunes chevaliers épris de gloire ou désireux d'aimer. Elle leur permet de raconter à la cour, quand du moins ils peuvent y revenir, l'exploit où ils ont fait preuve de leur valeur, et surtout de gagner la main d'une femme aimée.

C'est souvent l'amour sous différentes formes qui provoque, directement ou indirectement, l'aventure : ici la passion d'une reine pousse Graelent à fuir la cour pour se réfugier dans la forêt ; celle d'une autre reine pour Guingamor le contraint à relever un défi et à aller chasser le sanglier ; le désir de mériter son amie par un coup d'éclat détermine le damoiseau à braver le danger au gué de l'Aubépine. Provocations encore les conditions posées par la fille du roi de Logres qui n'épousera que celui qui lui rapportera le pied blanc du cerf, et les exigences de l'Écossaise (*Doon*) qui n'acceptera pour mari que le vainqueur d'une incroyable performance sportive.

On reconnaît là un des aspects de l'amour courtois, la dame, la *domina*, qui par ses volontés ou ses caprices force à la prouesse. En outre, la dame, dans *Tydorel* aime un chevalier en dehors du mariage, tout comme les reines de *Graelent* et de *Guingamor* sollicitent un amour défendu. L'amour doit rester secret, article essentiel de la doctrine de la *fine amor* : ainsi le père de Tydorel exige que sa liaison demeure secrète. La faute de Graelent, est d'avoir révélé, fût-ce pour se justifier, l'existence de son amie. Désiré a eu tort de confesser à l'ermite sa rencontre avec celle qu'il aime et qui lui refusera longtemps son pardon. Graelent, repoussant les avances de la reine, lui rappelle non sans insistance quelques règles du code courtois et surtout la valeur d'un amour partagé, fondé sur l'union des corps et des cœurs.

N'avançons toutefois qu'avec précaution le terme de courtoisie, car elle reste un vernis superficiel, et plusieurs de ces traits relèvent, nous le verrons, du fonds légendaire et folklorique dans lequel puisent les auteurs. L'amour est ici une pulsion instinctive qui naît brusquement devant la simple beauté. Certes, la fille du roi d'Irlande n'ignore rien des mérites de Mélion ; l'amie de Graelent soupçonne ses qualités de courtoisie, de bravoure et de sagesse, qualités accordées d'après un poncif à toute cette jeunesse. Mais l'amour ne s'embarrasse d'aucun préambule ; il n'est pas longue et patiente quête de la *joie*, il exige dès l'abord la satisfaction d'un désir physique immédiat. Les amants se prennent et se donnent à la première rencontre. La reine déclare sans ambages ses sentiments à Graelent qui, à son tour, prie d'amour la fée et la viole. La reine fait des propositions à Guingamor et n'attend, si elle est écoutée, que du plaisir « pour tous les deux ». Désiré ne renonce à la servante de la dame que pour posséder sur la lande la jeune fille qui, l'instant d'avant, le fuyait et qui se donne à lui sans plus de façons. Le chevalier menace la mère de Tydorel d'un sombre avenir, si elle ne se laisse pas fléchir sur l'heure. Et Mélion ne tarde pas à étreindre l'Irlandaise qui répond à ses vœux. Seule, l'héritière du royaume d'Edimbourg (*Doon*) fait exception et invente des délais en soumettant tout prétendant à de dures épreuves.

*
* *

L'aventure n'est pas seulement une chasse, même aussi mouvementée et riche en péripéties que celle de Guingamor, ni même un affrontement contre un ou plusieurs adversaires, comme dans *Aubépine*. Elle est la rencontre entre un être humain et un être, homme ou femme, qui appartient à un autre monde, celui de l'au-delà celtique.

Cet être surnaturel peut aller et venir sous un lac, exiger le secret (*Tydorel*), venir provoquer sans raison apparente un adversaire (*Désiré*). Le plus souvent c'est une femme, une fée qui s'offre à l'amour d'un habitant du monde des mortels et y fait de plus ou moins longs séjours.

Ces deux mondes se côtoient et se mêlent plus ou moins. Le monde réel est celui d'une cour avec ses chevaliers et ses dames, avec sa grande salle de réception où se déroulent de plantureux festins, où l'on accueille les visiteurs selon les lois de l'hospitalité, où l'on écoute les lais que chantent les musiciens à la veillée. C'est là – cour d'Arthur ou cour du roi de France –, qu'on envoie pour leur formation les jeunes gens de noble famille. Dans cette société féodale où les biens et le pouvoir sont transmis de père en fils le souci d'assurer une postérité explique la déception de n'avoir pas d'enfant ; la naissance d'un héritier est si ardemment souhaitée que les parents de Désiré ont fait un pèlerinage à cette intention.

Mais ce monde où se reflètent les réalités quotidiennes reste ambigu et paraît quelquefois comme une annexe de l'autre : ainsi le verger attenant au château où les demoiselles viennent s'ébattre et manger des fruits voit l'apparition soudaine d'un chevalier aux armes vermeilles. La forêt qui s'étend dès les abords du château est un vestibule de l'ailleurs, mais avec ses profondeurs mystérieuses, ses landes, ses sources jaillissantes elle est partie intégrante du domaine féerique. Une eau, rivière ou lac, est la frontière qui sépare les deux univers, le quotidien et le magique, frontière qu'on ne franchit pas impunément. Guingamor traverse deux fois la rivière-frontière, quand il quitte son amie, puis quand il y est ramené par les deux messagères. Le chevalier de l'*Aubépine* doit passer le gué pour engager le combat contre des inconnus.

La chasse, passe-temps favori des seigneurs, est souvent l'occasion et le point de départ de l'aventure. La biche blanche de Graelent, le sanglier de Guingamor entraînent le chasseur vers la fontaine où se baigne la fée. Le cerf que poursuit Mélion l'amène dans une lande où il va trouver son malheur. Le chien braque de Tyolet lui indique le chemin du cerf au pied blanc. Un grand cerf conduit Tyolet jusqu'à une rivière au-delà de laquelle l'animal prend la forme humaine d'un chevalier.

*
* *

Dans ce monde de la féerie, où la fée revêt l'apparence d'une dame règnent l'imprévu et l'irrationnel. Ces forêts et ces landes que le lai situe en Angleterre ou en Bretagne sont en réalité un espace mythique, un pays de nulle part. Des châteaux étranges se découvrent aux yeux des quêteurs, demeure de la fée dans *Désiré* ou palais sans nom qui irradie sa propre clarté (*Guingamor*).

Des êtres anonymes surgissent, venus on ne sait d'où : ainsi ces fées-maîtresses qui semblent attendre celui qu'elles ont choisi, offrant leur séduction sous la forme de baigneuses, provocantes dans leur fausse pruderie ; telle autre quitte sa loge de feuillage pour attiser par sa fuite le désir de son poursuivant (*Désiré*). On assiste à des arrivées inopinées, comme celle de la fée, précédée d'un valet, puis de deux demoiselles, qui vient au secours de Graelent. L'amie de Désiré paraît au moment où on ne s'y attendait pas. Deux demoiselles viennent recueillir Guingamor pour lui éviter la noyade ; et voici que se dresse devant la reine le chevalier du lac (*Tydorel*) et devant Tyolet, épuisé par son combat avec les lions, l'inconnu à qui il donne le pied du cerf. Tous ces personnages semblent commandés par une volonté occulte ou agir en vertu d'une prescience inexplicable.

Ces êtres surnaturels, fées ou chevaliers de l'autre monde, viennent voir leur ami ou leur amie en des lieux imprécis, pour de périodiques retrouvailles. Mais il arrive un jour où, après des absences consenties ou imposées, ils emmènent dans leur pays sans nom ceux avec qui ils partagent un commun destin. Tydorel plonge dans le lac, sa vraie patrie, en raison de sa naissance fabuleuse. De ce pays on ne revient pas. Il est dans *Guingamor* celui de l'éternelle jeu-

nesse où le temps est aboli, comme dans le Venus-
berg de Tannhäuser ou dans la légende du Beau
Pécopin de Victor Hugo. L'espace y est nié : la jeune
fille de l'*Aubépine* est transportée, on ne sait
comment, d'un lieu dans un autre. Si l'on peut recevoir un don, comme Tyolet qui, nouvel Orphée, fait
venir à lui les bêtes, on peut aussi être frappé d'une
interdiction, d'une *geis*, comme Guingamor qui pour
avoir mangé des pommes, au mépris des ordres de
la fée retombe, nouvel Adam, dans la décrépitude
et le temps humain. La femme du héros de l'*Aubépine* transgresse un ordre formel en enlevant le frein
du cheval et son mari perd ainsi cette bête magique,
qui jusqu'alors n'avait pas besoin de nourriture.
Tydorel est condamné par sa naissance à ne pas
dormir.

Ce pays est celui des métamorphoses, on passe du
règne humain au règne animal (Mélion devenu loup
au contact d'une pierre précieuse), ou inversement du
second au premier, quand un cerf se transforme en
chevalier. Un anneau disparaît tout à coup du doigt
qui le portait pour un engagement non tenu... Des
flèches tombent sans raison devant ceux qui les ont
lancées. Le monde animal est lui aussi hors du
commun. Des bêtes dont la blancheur révèle la nature
magique peuplent ces landes et ces forêts, elles ont
souvent pour mission d'introduire le héros dans
l'Autre Monde : la biche blanche de Graelent, le sanglier blanc de Guingamor, le brachet blanc de Tyolet,
la mule blanche et les blancs éperviers de *Désiré*, le
blanc destrier de Tydorel, le cheval blanc de Doon et
celui, blanc aussi, mais aux oreilles vermeilles, de
l'*Aubépine*. Ces animaux peuvent galoper sous l'eau,
se dispenser de toute nourriture, courir plus vite qu'un
oiseau, pleurer, en errant dans la forêt, un maître
perdu.

Tel est ce monde merveilleux de sortilèges où les
êtres et les choses sont libérés des lois naturelles, où
l'insolite fait irruption à chaque instant, monde aussi
d'amours improvisées, mais presque toujours dura-

bles, où le malheur n'a pas droit d'entrée, étranger
par ailleurs à toute préoccupation religieuse ; à peine
une trace dans *Désiré* où la dame ne montre guère
de goût pour la confession. Le merveilleux n'a rien
ici de véritablement fantastique, s'il est vrai que le
fantastique s'accompagne d'un frisson, d'une inquié-
tude de l'imagination ; il n'est ici ni lits périlleux
lacérés par des flèches de feu, ni monstres, ni enclos
macabre comme le verger de la Joie de la cour dans
l'*Erec* de Chrétien de Troyes.

*
* *

Il n'est pas très aisé de voir comment travaillent ces
auteurs de lais. Les influences littéraires sont évi-
dentes. Mélion reprend l'histoire d'un mari victime de
la rouerie et de la cruauté de sa femme et présente des
rapports étroits avec le *Bisclavret* de Marie de France.
Graelent et Guigamor sont une refonte, mais non une
simple imitation, du *Lanval* ; le motif de la fée qui
emmène son ami dans son pays vient de la poétesse
anglo-normande.

Les auteurs procèdent aussi par contamination, en
combinant des éléments d'abord distincts. Le lai de
Tyolet porte la marque du *Conte du Graal*, en
racontant la découverte de la chevalerie par le *nice*,
le simplet, élevé par sa mère dans la solitude de la
forêt, et celle du *Tristan* avec la victoire du héros
sur un animal mythique dont le dépossède un imposteur. *Doon* combine l'épreuve de la performance
impossible (Marie de France, *Les Deux Amants*) avec
le thème bien connu du combat et de la reconnaissance d'un père avec son fils. Guingamor unit la tradition de la fée-maîtresse avec celle du pays où on
ne meurt pas. Mais les auteurs ont-ils eux-mêmes
imaginé ces combinaisons ou remontent-elles à des
écrits antérieurs ? Les « sourciers » sont là en cruel
embarras.

Il est certain qu'ils introduisent une foule de thèmes

et motifs consacrés par une tradition littéraire déjà
longue : ainsi la capture du cheval après le combat,
l'amour contrarié de deux enfants élevés ensemble,
l'anneau gage de fidélité ou moyen qui permet la
reconnaissance de deux parents, le motif du sifflement qui apprivoise les bêtes, etc. Mais tous ces
motifs et bien d'autres encore qu'ils ont utilisés
appartiennent à la littérature universelle, et plus spécialement à la littérature celtique ; on les trouve dans
les légendes irlandaises, galloises, allemandes
(par exemple, le vol des vêtements figure dans la
légende de Galant le Forgeron et dans la saga nor-
roise) et dans les contes orientaux. Il est donc très
difficile de mettre une étiquette précise sur chacun
d'eux. Ainsi nous découvrons dans les matériaux mis
en œuvre dans les lais une foule d'épaves folk-
loriques, mythiques et mythologiques. Les auteurs
ont utilisé ces données sans en comprendre le sens,
séduits par le merveilleux qui émane d'elles, avec
des efforts non parfaitement accomplis de rationali-
sation.

*
* *

Les œuvres médiévales comportent volontiers un
sens, comme l'écrivait Chrétien de Troyes, c'est-à-dire
qu'elles invitent à découvrir, au-delà de la lettre, une
signification ; elles provoquent la réflexion à partir de
la fiction, sans être pour autant des œuvres à thèse. À
l'autre bout, le souci du « chastoiement » s'exprime
dans les innombrables *exempla* ou dans les contes de la
Vie des Pères, récits qui proposent des leçons et s'ap-
parentent par là au genre didactique.

Qu'en est-il de nos lais ? Marie de France, attentive
aux mouvements du cœur, traitait dans les siens de
problèmes psychologiques et moraux. Le merveilleux
n'en était pas exclus, mais n'était qu'une toile de fond.
Nos auteurs ne sont pas portés à l'analyse. Les sentiments qui animent les personnages restent élémen-

taires. La douleur du héros qui vient de perdre son amie s'exprime par quelques plaintes ; ainsi pour le désarroi de Désiré qui attend en vain son amie ; et deux courts monologues suffisent pour la déploration de la jeune fille de l'*Aubépine* séparée de celui qu'elle aime. Le seul débat intérieur, mais vite résolu, est celui de Désiré qui s'interroge sur le bien-fondé de sa confession.

Par ailleurs, bien des choses restent inexpliquées. Le revirement dans les sentiments de la femme de Mélion ne se comprend guère : elle avait de l'estime pour son mari et il ne tenait qu'à elle de lui rendre, après son dévouement, sa forme humaine. Pourquoi Tyolet qui a réussi au prix de sa vie à trancher le pied du cerf, en fait-il sottement cadeau à un inconnu ? Comment Doon savait-il qu'arrivé au but il ne fallait pas se coucher ? Ces litotes et ces inconséquences ajoutent au caractère mystérieux du récit.

Quant au *sens*, ce n'est pas la préoccupation de ces récits. Que peut-on glaner ? Le lai de *Mélion* conclut en clair qu'il ne faut pas se fier à des paroles de femmes, celui de *Doon* déclare, comme entre parenthèses, qu'il est sain de coucher sur la dure. La dame repentie du lai du *Trot* nous apprend qu'il ne faut pas laisser passer le temps d'aimer et les dernières lignes du lai de l'*Aubépine* semblent condamner la curiosité et la légèreté féminines. Mais ce ne sont là que réflexions accessoires ; du corps même du récit on n'extraira aucun enseignement. Ces histoires sont de pur divertissement. Çà et là perce la nostalgie d'une chevalerie qui a perdu son lustre (*Désiré, Tydorel, Tyolet*), mais ce n'est qu'un lieu commun. On ne prétend à rien d'autre qu'au plaisir de conter. Et Dieu nous préserve des abstracteurs de quinte essence ! Tel critique a décrypté dans *Guingamor* la mort de l'innocence et la lutte d'un chevalier contre la sensualité représentée par le sanglier qu'il finit par vaincre pour gagner ainsi l'immortalité. Pour tel autre Guingamor est le héros d'une quête où il cherche à vaincre ses

imperfections et à accéder à travers des épreuves à la
pureté spirituelle. Que de « guès périlleux ! »

*
* *

Laissons-nous aller au charme de ces récits, atti-
rants comme des objets patinés par les siècles. Dans
l'exécution ils ont un trait commun : une certaine
sécheresse d'écriture dont plus d'une fois le dépouil-
lement confine à la pauvreté. Ils ne sont au reste pas
d'égale qualité. L'*Aubépine* ne s'élève guère au-dessus
de la banalité ; *Tyolet* est assez vivant grâce aux dialo-
gues ; *Tydorel* se recommande par la scène touchante
des conseils de la mère à son fils. *Guingamor* est de
loin le mieux venu. Trois lais, ceux du *Trot*, de
Nabaret et du *Libertin* semblent dévier du genre. Le
premier garde des éléments de féerie avec ce double
cortège fortement antithétique des dames qui sortent
de la forêt. Le deuxième n'est qu'une plaisanterie sans
grand sel ; le troisième est proche du fabliau, dont
l'éloigne toutefois le milieu mondain où il se déroule
et la belle autorité avec laquelle la dame convainc son
auditoire.

Ces contes de féerie ouvrent les portes à l'imagination et nous offrent le plaisir sans prix du dépayse-
ment.

Alexandre MICHA.

N.B. — Notre traduction est faite d'après *Les Lais anonymes des
XII* et *XIII* siècles,* édition critique par Prudence Mary O'Hara
Tobin, Genève, Librairie Droz, 1976.

LAIS FÉERIQUES
DES
XIIe ET XIIIe SIÈCLES

C'EST LE LAY DE GRAALENT

LAI DE GRAELENT

L'aventure de Graalent
vos dirai si que je l'entent ;
bon en sont li lai a oïr,
e les notes a retenir,
5 Graelens fu de Bretons nés,
gentix e bien enparentés.
Gent ot le cors e franc le cuer,
por çou ot non Graalent Muer.
Li rois qui Bretaigne tenoit,
10 vers ses voisins grant guerre avoit ;
cevaliers manda e retint,
bien sai que Graelens i vint.
Li rois le retint volentiers
por çou qu'il ert biax cevaliers.
15 Mout le ceri e honera,
e Graelens molt se pena
de tornoier e de joster
e de ses anemis grever.
La roïne l'oï loer,
20 e les biens de lui raconter ;
dedens son cur l'en aama.
Son canbrelenc en apela.
— Diva, dist el, ne me celer,
n'as tu sovent oï parler
25 del bel cevalier Graelent ?
Mout est amis a tote gent.
— Dame, dist il, molt par est prox,
e molt se fait amer a tox. »
La dame lués li respondi :
30 « De lui veul faire mon ami,
je sui por lui en grant esfroi.
Va, si li di qu'il vigne a moi,
m'amor li metrai a bandon.
— Mout li donrés, dist cil, grant don,
35 merveille est se il n'en a joie.

Je vais vous dire l'aventure de Graelent, telle que je l'apprends. Il est agréable d'écouter des lais et d'en retenir la musique.

Graelent était né de parents bretons, nobles et bien apparentés. Il était beau et d'un cœur loyal : aussi l'appelait-on Graelent Muer[1]. Le roi qui régnait sur la Bretagne soutenait une dure guerre contre ses voisins. Il convoqua et retint ses chevaliers auprès de lui, et je sais que Graelent y vint. Le roi le retint volontiers, parce que c'était un beau chevalier ; il le chérit et l'honora, et Graelent se dépensa dans les tournois et dans les joutes pour infliger des pertes à ses ennemis.

La reine entendit faire son éloge et raconter le bien qu'on disait de lui. Elle l'aima et appela son chambellan.

— Allons, dit-elle, ne me cache rien. As-tu souvent entendu parler du chevalier Graelent ? Il a des amis partout.

— Dame, répondit-il, c'est un preux et il se fait aimer de tout le monde.

La dame lui avoua tout aussitôt :

— Je veux faire de lui mon ami. Je suis toute bouleversée à cause de lui. Va, dis-lui de venir me trouver. Je lui donnerai sans détour mon amour[2].

— Vous lui ferez, dit l'autre, un don précieux. Ce serait miracle s'il n'en était pas heureux.

1. Graelent Muer est le même sans doute que Gradlon Muer, c'est-à-dire Graelent le Grand.
2. L'amour d'une reine pour un de ses sujets est un thème qui se trouve dans *Lanval* de Marie de France. La déclaration d'amour est très semblable dans *Guingamor*, mais la scène y est menée avec moins de brutalité et plus de nuance.

N'a si boin abé dusqu'a Troie
s'il esgardoit vostre visage,
ne cangast molt tost son corage. »
Cil s'en torna, la dame lait,
40 a l'ostel Graelent s'en vait ;
avenanment l'a salué,
son mesage li a conté
k'a la roïne voist parler,
e n'ait cure de demorer.
45 Ce li respont li cevaliers :
« Alés avant, biaus amis ciers. »
Li canbrelens s'en est alés,
e Graelens s'est atornés.
Sor un ceval ferrant monta,
50 un cevalier o lui mena.
Al castel sont andoi venu
e en la sale descendu,
par devant le roi trespasserent,
es canbres le roïne entrerent.
55 Quant el les voit, sis apela,
mout les ceri e honera ;
entre ses bras prist Graelent,
si l'acola estroitement ;
dejoste li seïr le fist
60 sor un tapi, puis si li dist.
Mout boinement a esgardé
son cors, son vis e sa biaté.
A lui parla cortoisement,
e il li respont sinplement,
65 ne li dist rien qui bien ne siece.
La roïne pensa grant piece ;
merveille est s'ele ne li prie
que il l'amast par druerie.
L'amors de lui la fait hardie,
70 demande lui s'il a amie

Il n'y a d'ici jusqu'à Troyes abbé si austère qui ne change de sentiments à la vue de votre visage.

Le chambellan s'en retourne, laissant là la dame, et va au logis de Graelent. Il le salue aimablement et lui confie le message de la reine : elle désire lui parler, et sans tarder.

— Précédez-moi, répond le chevalier.

Le chambellan se retire et Graelent se prépare. Il monte sur un cheval gris de fer en emmenant avec lui un chevalier. Les voici tous deux arrivés au château, ils mettent pied à terre dans la salle[1], passent devant le roi et entrent dans les appartements de la reine. Dès qu'elle les voit, elle leur fait signe, leur prodigue des marques d'honneur et d'affection. Elle prend dans ses bras Graelent, le serre étroitement contre elle, le fait asseoir près d'elle sur un tapis, puis lui adresse la parole, tout en contemplant son corps, son visage, sa beauté ; elle l'entretient courtoisement et lui, répond avec simplicité, sans rien dire qui ne soit convenable.

La reine reste pensive un bon moment ; il est étonnant qu'elle ne le prie pas de lui accorder son affection. Mais l'amour qu'elle éprouve pour lui la rend hardie : elle lui demande s'il a une amie,

---

1. *salle :* c'est la grande salle, habituelle à chaque château, où se tiennent le roi et sa cour, où se déroulent les réjouissances, et où on prend les repas en commun

ne se d'amors est arestés,
car il devoit bien estre amés.
— Dame, dist il, je n'aimme pas,
d'amors tenir n'est mie gas.
75 Cil doit estre de mout grant pris
qui s'entremet qu'il soit amis.
Tel. VC. parolent d'amor,
n'en sevent pas le pior tor,
ne que est loiax druerie.
80 Ains lor ragë e lor folie,
perece, wisseuse e faintise
enpire amor en mainte guise.
Amors demande caasté
en fais, en dis e en pensé.
85 Se l'uns des amans est loiax
e li autre est jalox e faus,
si est amors entr'ex fausee,
ne puet avoir longe duree.
Amors n'a song de conpagnon ;
90 boin amors n'est si de dex non,
de cors en cors, de cuer en cuer
autrement n'est prex a nul fuer.
Tulles, qui parla d'amistié,
dist assés bien en son ditié
95 que veut amis, ce veut l'amie,
dont est boine la conpaignie ;
s'ele le veut e il l'otroit,
dont est la druerie a droit ;
puisque li uns l'autre desdit,
100 ni a d'amors fors c'un despit.
Assés puet on amors trover,
mais sens estuet al bien garder
douçor e francise e mesure,
— amors n'a de grand forfait cure —
105 loialté tenir e promettre ;

si son cœur est pris ailleurs, car il mérite d'être aimé.

— Dame, dit-il, je n'aime personne et ce n'est pas un jeu que d'être fidèle en amour. Qui songe à aimer doit être d'un très grand mérite. Des centaines de gens parlent de l'amour en ignorant ses pires pièges et ce qu'est une loyale affection ; mais leur rage et leur folie, leur paresse, leur lâcheté, leurs mensonges font tort à l'amour de mille manières. L'amour exige la chasteté en actes, en paroles et en pensées. Si l'un des amants est loyal et l'autre jaloux et fourbe, leur amour est gâté et ne peut durer longtemps. L'amour n'a pas besoin d'un compagnon : il n'est d'amour sincère que de deux êtres seulement, unis de corps et de cœur ; sinon, il n'a aucune valeur. Cicéron qui a parlé de l'amitié dit fort bien en son livre que ce que veut l'ami l'amie le veut aussi, et alors l'accord est parfait. Si elle exprime une volonté et s'il y consent, leur attachement est solide. Mais si l'un contredit l'autre, il n'y a plus d'amour, mais aigreur. On peut facilement rencontrer l'amour, mais il faut, pour le garder, de la sagesse, de la tendresse, de la noblesse d'âme, de la mesure : l'amour ne peut souffrir une grave faute. Il faut promettre d'être fidèle et respecter cette promesse.

por çou ne m'en os entremetre. »
　　La roïne oï Graelent
qui tant parla cortoisement ;
s'ele n'eüst talent d'amer,
110 si l'en esteüst il parler.
Bien set e voit, n'en doute mie,
qu'en lui a sens e cortoisie.
A lui parla tot en apert,
son cuer li a tot descouvert.
115 — Amis, dist ele, Graelent,
je vos aim mout parfitement.
Onques n'amai fors mon segnor,
mais je vous aim de bone amor.
Je vos otroi ma druerie,
120 soiés amis e jou amie.
　　— Dame, dist il, vostre merci,
mais il ne peut pas estre ensi,
car je sui saudoiers le roi ;
loiauté li promis e foi,
125 e de sa vie e de s'anor,
quant a lui remes l'autre jor ;
ja par moi honte n'i ara. »
Dont prist congié, si s'en ala.
　　La roïne l'en vit aler,
130 si commença a sospirer,
dolante est molt, ne set que faire,
ne s'en voloit par tant retraire.
Soventes fois le requeroit,
ses mesages li trametoit,
135 rices presens li envoioit,
e il trestous les refusoit.
La roïne molt l'enhaï
quant ele a lui del tot failli ;
a son segnor mal le metoit
140 e volentiers en mesdisoit.

Aussi je n'ose pas m'en mêler. La reine entendit les paroles courtoises de Graelent. N'eût-elle envie alors de l'aimer, elle n'aurait pas pu s'empêcher de lui parler. Elle savait bien, elle voyait, elle était sûre qu'il possédait sagesse et courtoisie. Elle lui parla sans détour et lui découvrit ses sentiments.

— Ami Graelent, dit-elle, je vous aime infiniment. Je n'ai jamais aimé que mon époux, mais je vous aime d'un amour sincère et je vous accorde mon affection. Soyez mon ami et je serai votre amie.

— Dame, merci, répond-il, mais il ne peut pas en être ainsi. Je suis mercenaire du roi, je lui ai promis loyauté et fidélité pour défendre sa vie et son honneur, quand j'étais près de lui l'autre jour. Jamais il ne recevra la honte de ma part. Il prit alors congé et s'en alla.

La reine le vit s'en aller et se mit à soupirer, affligée, ne sachant que faire ; mais elle n'entendait pas renoncer pour autant. A maintes reprises elle le pria, lui envoya des messagers, lui offrant de riches présents, mais il les repoussait tous. Ne pouvant arriver à ses fins, elle le prit en haine ; elle le mit en mauvais termes avec son époux par de fréquentes médisances.

Tant com li rois maintint la guerre,
remest Graelens en la terre,
tant despendi qu'il n'ot que prendre,
car li rois le faisoit atendre,
145 ki li detenoit ses saudees ;
ne l'en avoit nules donees,
la roïne li destornoit.
Au roi disoit e conseilloit
ke nule rien ne li donast
150 fors le conroi, qu'il n'en alast ;
povre le tenist entor lui,
qu'il ne peüst servir autrui.
Que fera ore Graelens ?
N'est merveille s'il est dolens ;
155 ne li remest que engagier
fors un ronci, nest gaires cier.
Il ne puet de la vile aler,
car il n'avait sor quoi monter.
    Graelens n'atent nul secors.
160 Ce fu en mai, en ces lons jors,
ses hostes fu matin levés,
o sa femme est el borc alés
ciés un de ses voisins mengier.
Tout seul laisça le cevalier ;
165 o lui n'en eut en la maison
escuier, sergant ne garçon
fors seul le file a la borgoise,
une mescine mout cortoise.
Quant vint à l'eure de disner,
170 au cevalier ala parler,
mout li pria qu'il se hastast
et qu'il ensanble o li mengast.
Il ne se puet pas rehaitier,
si apela son escuiier,
175 dist li c'amaint son cacëor,

Tant que le roi fut en guerre, Graelent resta au pays ; il dépensait tant qu'il ne lui restait plus rien, car le roi qui retenait sa solde le faisait attendre, il ne le payait pas grâce aux manœuvres de la reine. Elle conseillait au roi de ne rien lui donner, sauf son équipement, et de le condamner à la pauvreté, pour l'empêcher de partir et de se mettre au service d'un autre maître. Que va faire Graelent ? Il ne lui reste qu'à mettre en gage son vieux cheval, de peu de valeur, et il ne peut quitter la ville, n'ayant plus de monture.

Graelent n'attend de secours de personne. C'était en mai, quand les jours sont longs. Son hôte s'était levé de bonne heure et était allé au bourg avec sa femme, pour manger chez un de ses voisins. Il laissa tout seul le chevalier à la maison, sans personne, ni écuyer, ni serviteur, ni valet, sauf la fille de la bourgeoise, une fille fort aimable.

Quand arriva l'heure de dîner, elle vint trouver le chevalier, lui demanda de se dépêcher et l'invita à manger avec elle. Mais il n'en éprouva aucun plaisir ; il appela son écuyer et lui dit de lui amener son cheval de chasse,

sa sele mete e tot l'ator.
« La hors irai esbanoier,
car je n'ai cure de mangier. »
Il li respont : « N'ai point de sele. »
180 — Amis, ce dist la damoisele,
une sele vous presterai
e un bon frain vos baillerai. »
Cil a le ceval amené,
en le maison l'a enselé,
185 Graelens est desus montés,
par mi le borc est trespassés.
Unes viés piax ot afulees,
que trop longement ot portees.
Cil e celes qui l'esgarderent,
190 l'escarnirent molt e gaberent.
Tex est costume de borgois,
n'en verrés gaires de cortois.
Il ne se prent de ce regart ;
fors de la vile avoit un gart,
195 une forest grant e pleniere,
par mi couroit une riviere.
Cele part ala Graelens,
trespensix, mornes et dolens.
N'eut gaires par le bos erré,
200 en .I. boisson espés ramé
voit une bisse toute blance,
plus que n'est nois nule sor brance.
Devant lui la bisse sailli,
il le hua, si poinst a li ;
205 il ne le consivra jamés.
Porquant si le siut il de prés,
tant qu'en une lande l'enmainne,
devers le sors d'une fontainne,
dont l'iaue estoit e clere e bele.
210 Dedens baignoit une pucele ;

de mettre la selle et tout le harnais.

— Je vais aller me détendre là, dehors, dit-il, car je n'ai pas envie de manger.

— Je n'ai point de selle, répond l'autre.

— Ami, dit la demoiselle, je vais vous prêter une selle et vous donner une bonne bride.

L'écuyer lui amène le cheval, lui met la selle dans la maison et Graelent le monte ; il traverse le bourg. Il avait revêtu un vieux vêtement de peau qu'il avait longtemps porté. Ceux et celles qui le virent ne lui ménagèrent pas moqueries et plaisanteries : c'est le faible des petites gens, vous n'en verrez guère de courtois. Il ignorait leurs regards.

Hors de la ville il y avait un large espace, une immense forêt traversée par une rivière. Graelent alla de ce côté, pensif, morne et triste. Il ne s'était guère avancé dans le bois, quand il vit dans un fourré aux rameaux épais une biche toute blanche, plus que neige sur la branche. La biche fit un bond devant lui, il l'appela, piqua des deux vers elle, mais il ne parvint pas à la rejoindre. Pourtant il la suivit de près et elle l'entraîna dans une lande, vers une source dont l'eau jaillissait belle et claire. Une pucelle s'y baignait,

dex damoiseles le servoient,
sor l'eur de le fontainne estoient.
Li drap dont ele ert despoulie
erent dedens une foillie.
215 Graelens a celi veüe
qui en le fontaine estoit nue.
Cele part va grant aleüre,
de le bisse n'eut il puis cure
tant le vit graisle e escavie,
220 blancë e gente e colorie,
les ex rians e bel le front ;
il n'a si bele en tot le mont.
Ne le veut en l'iaue toucier,
par loissir le laisse baignier.
225 Se despoulle est alés saisir,
par tant le cuide retenir.
Ses damoiseles s'aperçurent,
del cevalier en esfroi furent.
Lor dame l'a araisoné,
230 par mautalent l'a apelé :
« Graelent, lai mes dras ester !
Ne t'en pues gaires amender
se tu o toi les emportoies.
e ensi nue me laisoies,
235 trop sanleroit grant couvoitise.
Rent moi seviax non, ma cemise,
li mantiax puet bien estre tuens,
deniers en prenc, car il est buens. »
      Graelens respont en riant :
240 « Ne sui pas fix a marceant
n'a borgois, por vendre mantiax ;
s'il valoit ore trois castiax,
si n'enporteroie je mie.
Isciés fors de cele iaue, amie,
245 prenés vos dras, si vos vestés,

servie par deux demoiselles qui se tenaient au bord de la source. Les vêtements dont elle s'était dépouillée étaient déposés sous la ramée. Graelent la vit toute nue dans l'eau ; il s'approcha en toute hâte, sans plus se soucier de la biche, tant il voyait la pucelle mince et svelte, séduisante, le teint blanc aux fraîches couleurs, les yeux rieurs, un joli front. Il n'en était de si belle au monde.

Il ne voulut pas la toucher dans l'eau et la laissa se baigner tranquillement. Il alla saisir ses vêtements, pensant ainsi la retenir. Les demoiselles s'en aperçurent, effrayées par le chevalier. La dame l'interpella en colère.

— Graelent, laisse là mes vêtements ! Tu n'as aucun avantage à les emporter et à me laisser ainsi toute nue ! Rends-moi au moins ma chemise ; tu peux garder le manteau, tu en tireras un bon prix, il est de bonne qualité.

Graelent répond en riant :

— Je ne suis pas fils de marchand, ni de bourgeois, pour vendre des manteaux. Vaudrait-il trois châteaux, je ne l'emporterai pas. Sortez de l'eau, mon amie, prenez vos vêtements, habillez-vous

ançois que vous a moi parlés.
— Ge n'en voil pas, dist ele, iscir,
que de moi vous puisiés saisir ;
n'ai cure de vostre parole,
250 ne sui nïent de vostre escole. »
Il li respont : « Je sofferai,
vostre despoulle garderai
desque vos isterés ça fors.
Bele, mout avés gent le cors. »
255 Quant ele voit qu'il veut atendre,
e que ses dras ne li veut rendre,
seürté demande de lui,
k'il ne li face nul anui.
        Graelens l'a aseüree,
260 sa cemise li a donee.
Cele s'en ist de maintenant,
il li tint le mantel devant,
puis l'afula e si li rent.
Par la main senestre le prent,
265 des autres dex l'a eslongie,
d'amors l'a requise e proïie
et que de lui face son dru.
E ele li a respondu :
« Graelent, tu quiers grant otrage,
270 ge ne te tieng noient por sage.
Durement me doi merveillier
que m'osés de çou araisnier.
Tu ne dois estre si hardis,
t'en seroies tost malbailis ;
275 ja n'afiert pas a ton parage
nule femme de mon lingnage. »
Graelens le trove si fiere,
e bien entent que par proïiere
ne fera point de son plaisir,
280 n'il ne s'en veut ensi partir.

avant de me parler.

— Je ne veux pas, dit-elle, en sortir, car vous pourriez vous emparer de moi. Ce que vous direz m'est indifférent et je n'ai rien de commun avec vous.

— Soit, répond-il. Je garderai vos vêtements jusqu'à ce que vous en sortiez. Belle, votre corps est magnifique.

Quand elle voit qu'il attendra sans vouloir lui rendre ses vêtements, elle lui demande de promettre de ne pas lui faire de mal. Graelent le lui promet et lui rend sa chemise. Elle sort aussitôt de l'eau. Il tient le manteau devant lui et le lui tend en le jetant sur ses épaules. Il la prend par la main gauche et l'éloigne des deux autres demoiselles. Il la requiert d'amour et lui demande d'être son amie.

— Graelent, lui répond-elle, tu en demandes trop ; je crois que tu manques de sagesse. Je m'étonne fort que tu oses me tenir ce langage. Ne sois pas si hardi, il pourrait t'en coûter cher. Aucune femme de mon lignage ne convient à un homme de ton rang.

Graelent la trouve bien fière et comprend que sa prière est vaine, qu'elle ne lui accordera en rien son plaisir ; mais il ne veut pas se retirer ainsi.

En l'espece de la forest
a fait de li ce que li plest.
Quant il en ot fet son talent,
merci li prie dolcement,
285 que vers lui ne soit trop iree,
mais or soit e france e senee ;
si li otroit sa druerie,
e il fera de li s'amie,
loialment e bien l'amera,
290 jamais de li ne partira.
        La damoisele ot e entent
la parole de Graelent,
e voit qu'il est cortois e sages,
bons cevaliers e prox e larges,
295 e set se il depart de li,
jamais n'avra si boin ami.
S'amor li a bien otroiie
et il l'a docement baisie.
A lui parole en itel guise :
300 « Graelent, vos m'avés souprise,
ge vous amerai vraiement,
mais une cose vous deffent,
que né dites parole aperte
dont nostre amors soit descoverte.
305 Ge vos donrai molt ricement
deniers e dras, or e argent.
Molt ert l'amors bone entre nous,
nuit et jor gerrai aveuc vous,
dalés vous me verés aler,
310 a moi porrés rire e parler,
n'avrés conpaignon qui me voie,
ne qui ja sace qui je soie.
Graelent, vox estes loiaus,
prox e cortois, e assés biax ;
315 por vous ving jou a la fontainne,

Au plus profond de la forêt il fait d'elle sa volonté et
après avoir satisfait son désir, il la prie doucement de
ne pas lui en tenir rigueur, mais d'être généreuse et
raisonnable. Si elle lui accorde son amour, il fera
d'elle son amie, il l'aimera fidèlement et jamais ne la
quittera.

La demoiselle prêta attention aux paroles de Graelent et vit qu'il était courtois et sage, bon chevalier,
brave et généreux, et comprit que s'il s'en allait, elle
n'aurait jamais un ami aussi sûr. Elle lui accorda donc
son amour et lui donna un tendre baiser.

— Graelent, lui dit-elle, vous m'avez eue par sur-
prise, je vous aimerai sincèrement, mais je vous
défends une chose : ne prononcez jamais un seul mot
assez clair pour faire découvrir notre amour. Je vous
donnerai en abondance deniers et vêtements, or et
argent. Notre amour réciproque sera parfait ; nuit et
jour je coucherai avec vous, vous me verrez aller et
venir à vos côtés. Vous pourrez me parler, rire avec
moi, mais pas un seul de vos compagnons ne doit me
voir ni savoir qui je suis. Graelent, vous êtes fidèle,
vaillant, courtois et beau. C'est pour vous que je suis
venue à la source ;

por vos souferai jou grant painne,
bien savoie ceste aventure.
Mais or soiiés de grant mesure,
gardés que pas ne vous vantés
320 de cose par quoi me perdés.
Un an vous covenra, amis,
sejorner pres de cest païs,
errer poés dex mois entiers,
mais ça soit vostre repairiers,
325 por çou que j'aim ceste contree.
Alés vous ent, none est sonee,
mon mesage vos trametrai,
ma volenté vos manderai. »
        Graelens prent a li congié,
330 elle l'acole e a baisié.
Il est a son ostel venus,
de son ceval est descendus,
en une canbre seus entra,
a la fenestre s'apoia,
335 de s'aventure mout pensis.
Vers le bos a torné son vis,
un vallet vit venir errant
desor un palefroi anblant.
Desi a l'ostel Graelent
340 en est venus qu'ainc ne descent ;
au cevalier en est venus
e il est contre lui salus.
Demande li dont il venoit,
com avoit non e qui estoit.
345 — Sire, dist il, ne dotés mie,
je sui mesages vostre amie.
Cest destrier par moi vos envoie,
ensanble o vous seul que je soie,
vos gages vos aquiterai,
350 de vostre hostel garde prendrai. »

à cause de vous j'aurai à souffrir de grandes peines. Je savais ce qui devait arriver. Maintenant montrez-vous très prudent, gardez-vous de vous vanter par indiscrétion : vous me perdriez. Il vous faudra, ami, rester un an près de ce pays ; vous pouvez vous éloigner pendant deux mois entiers, à condition de revenir ici, parce que j'aime cette contrée. Partez, none[1] a sonné. Je vous enverrai mon messager et je vous ferai connaître ma volonté.

Graelent prend congé d'elle qui l'entoure de ses bras et le couvre de baisers. Il arrive à son logis, descend de cheval, entre seul dans une chambre, s'appuie à la fenêtre, pensant à son aventure. Le visage tourné vers la forêt, il voit venir en hâte un écuyer sur un palefroi[2] qui va à l'amble et ne met pied à terre qu'une fois arrivé devant le logis de Graelent. Celui-ci bondit à sa rencontre et lui demande d'où il vient, comment il s'appelle et qui il est.

— Seigneur, dit-il, n'en doutez pas, je suis le messager de votre amie. Par moi elle vous envoie ce destrier[3], elle veut que je reste avec vous, j'acquitterai vos dettes et je prendrai soin de votre logis.

1. *none :* la neuvième heure à partir de 6 heures, c'est-à-dire 15 heures.
2. *palefroi :* c'est la monture qui sert pour la promenade ou le voyage, par opposition au *destrier* (cf. note suivante). C'est en particulier, avec la mule, la monture favorite des dames et des demoiselles.
3. *destrier :* le cheval que l'on tient à la main droite ; c'est le cheval de combat et la monture propre au chevalier armé. On reconnaît un chevalier de loin au destrier qu'il monte.

Quand Graelens ot la novele
qui molt li sanble boine e bele,
le vallet baise boinement ;
e puis a reçut le present,
355 le destrier, sos ciel n'a si bel,
ne mix corant, ne plus isnel ;
en l'estable par soi le met
e le cacëor au vallet.
Cil a sa male destorsee,
360 en la canbre l'en a portee,
puis l'a overte e desfremee.
Une grant coute en a getee,
d'un rice paile ovree fu,
d'autre part d'un rice boufu.
365 Met le sor le lit Graelent,
aprés met sus or e argent,
boins dras a son segnor vestir.
Aprés fait son oste venir,
deniers li baille a grant plenté,
370 si li a dit e comandé
que ses sires ert aquités
e ses hostex bien acontés.
Gart qu'asés i ait a mangier,
e s'en la vile a cevalier
375 que sejorner voille tot coi
qu'il en amaint ensanle o soi.
Li hostes fu prox e cortois
e molt vaillans comme borgois.
Rice conroi fist atorner,
380 par le vile fait demander
les cevaliers mesaaisiés
e les prisons e les croisiés.
A l'ostel Graelent les mainne,
de l'honerer forment se paine.
385 Assés i eut joué la nuit

Quand Graelent entend cette nouvelle qui le ravit de satisfaction, il embrasse de bon cœur le jeune homme, puis il reçoit en cadeau le plus beau destrier du monde, le plus agile et le plus rapide. Il le met lui-même à l'écurie avec le cheval du jeune homme. Celui-ci décharge sa malle, la porte dans la chambre, l'ouvre, en tire une grande couverture faite d'un côté d'un riche tissu et de l'autre d'une précieuse soie brochée ; il la dépose sur le lit de Graelent, puis, à côté, de l'or et de l'argent, de bonnes étoffes pour vêtir son maître. Ensuite, il fait venir l'hôte, lui donne des deniers en abondance, lui déclare que son maître est tout à fait quitte et le prix du logement complètement payé : qu'il veille à ce qu'il y ait une abondante nourriture, et si en ville un chevalier cherche un séjour tranquille, qu'il l'amène avec lui.

L'hôte était sage, bien éduqué et plein de qualités pour un habitant du bourg. Il fit préparer un copieux repas, puis chercher à travers la ville les chevaliers malheureux, les prisonniers et les croisés[1]. Il les emmena au logis de Graelent et se mit en peine pour les traiter avec honneur. La soirée se passa en musiques

---

1. *croisés :* allusion à l'actualité du XIIe siècle. Beaucoup de partants pour la croisade, plus ou moins démunis, cherchent un abri provisoire au cours de leurs préparatifs ou de leur voyage vers le lieu de ralliement.

d'estrumens e d'autre deduit.
La nuit fu Graelens haitiés,
e ricement apareilliés ;
grans dons dona as harpëors,
390 as prisons e as guoors.
N'avoit borgois en la cité
qui li eüst avoir presté,
qu'il ne li doinst e face honor,
tant qu'il le tienent a segnor.
395   Des or est Graelens a aise,
ne voit mais rien qui li deplaise ;
s'amie voit les lui aler,
a li se puet rire e juer.
La nuit le sent dejoste lui ;
400 coment puet il avoir anui ?
Graelens orre molt souvent ;
el païs n'a tornoiement
dont il ne soit tos li premiers ;
mout est amés des cevaliers.
405 Or a Graelens boine vie
e molt grant joie de s'amie.
Se ce li puet longes durer,
ja ne devroit el demander.
Ensi fu bien un an entier,
410 tant que li rois dut ostoiier.
A pentecoste cascun an,
semounoit ses barons par ban.
Tot cex qui de lui rien tenoient
e a sa cort o lui mangeoient,
415 servoient le par grant amor.
Quant mengié avoient le jor,
la roïne faisoit monter
sor un haut banc e deffubler.
Puis demandoit à tos ensanble :
420 « Segnor baron, que vos en sanble ?

d'instruments et en d'autres divertissements. Graelent
était de bonne humeur, en somptueux atours. Il fit de
larges dons aux harpeurs, aux prisonniers et aux musiciens. Chaque bourgeois de la cité qui lui avait
consenti un prêt fut comblé de cadeaux et d'égards,
de sorte qu'on vit en lui un vrai seigneur.

Voici Graelent satisfait. Tout ce qu'il voit lui fait
plaisir. Il voit son amie aller et venir, avec elle il peut
rire et jouer ; la nuit il la sent près de lui. Comment ne
serait-il pas heureux ? Il est souvent en route : au pays
il n'y a pas de tournoi où il ne remporte le prix, il est
aimé des chevaliers. Graelent mène maintenant une
vie agréable et son amie est pour lui source de joie. Si
cela avait pu longtemps durer, il n'aurait dû rien
demander de plus.

Il vécut ainsi une année entière jusqu'au jour où le
roi dut faire la guerre. Chaque année à la Pentecôte il
convoquait par un ban ses barons, qui tenaient une
terre[1] de lui, qui partageaient sa table à la cour et le
servaient avec un grand attachement. Après le repas, il
faisait monter la reine sur une haute estrade, elle
devait enlever son manteau et il demandait à tous :
« Seigneurs barons, qu'en dites-vous ? »

---

1. *tenaient une terre* : « tenir » est le terme propre pour désigner la
possession d'un fief accordé par un suzerain à son vassal.

A sousiel plus bele roïne,
pucele, dame ne mescine ? »
A tox le convenoit loer,
e au roi dire e afremer
425 k'il ne sevent nule si bele,
mescine, dame ne pucele.
N'i ot un seul ne le prisast
e sa biaté ne li loast,
fors Graelent qui s'en taisoit ;
430 a soi meïsme s'en rioit,
en son cuer pensoit a s'amie.
Des autres tenoit a folie
ki de totes pars s'escrioient
e la roïne si looient.
435 Son cief covri, son vis baisa,
e la roïne l'esgarda,
le roi le mustra, son segnor.
— Voiiés, sire, ques deshonor !
N'avés baron ne m'ait loee
440 fors Graelent qui m'a gabee.
Bien sai qu'il m'a pieça haïe,
je cuit qu'il a de moi envie. »
Li rois apela Graelent,
demande li oiant la gent,
445 par la foi que il li devoit,
qui ses naturex hom estoit,
ne li celast, ains li desist
por quoi baisa son cief e rist.
        Graelens respondi au roi :
450 « Sire, dist il, entent a moi.
Onques mais hom de ton parage
ne fist tel fait, ne tel folage ;
de ta femme fais mostroson,
qu'il n'a çaiens un seul baron
455 qui tu ne le faces loer ;

Y a-t-il sous le ciel pucelle, dame ou servante qui soit plus belle que la reine ? » Tous devaient faire son éloge et affirmer au roi qu'ils n'en connaissaient pas d'aussi belle, servantes, dames ou pucelles. Tous sans exception ce jour-là prisèrent et louèrent sa beauté, sauf Graelent qui restait muet. Il en souriait au fond de lui-même, pensant dans son cœur à son amie. Il prenait pour des fous les autres qui poussaient des cris d'admiration et louaient la reine. Il couvrit sa tête, baissa son visage. La reine le remarqua, le montra au roi son époux. « Voyez, seigneur, quel déshonneur ! Pas un seul de vos barons qui ne m'ait louée, sauf Graelent qui s'est moqué de moi. Je sais bien qu'il me déteste depuis longtemps. Je crois qu'il n'a pour moi que de la haine. »

Le roi appela Graelent et, devant tout le monde au nom de la fidélité qu'il lui devait, étant né son vassal, lui demanda de ne rien lui cacher et de lui dire pourquoi il avait baissé la tête et souri.

— Seigneur, répondit Graelent, écoutez-moi. Jamais homme de votre qualité ne s'est conduit si sottement. Vous exhibez votre femme et il n'y a ici un seul baron que vous ne poussiez à faire son éloge.

dient qu'il n'a sous siel sa per.
Por voir vos di une novele :
on puet assés trover plus bele. »
Li rois l'oï, molt l'en pesa,
460 par sairement le conjura
s'il en savoit nule plus gente.
— O je, dist il, qui vaut tes trente. »
    La roïne mout s'en mari,
a son segnor cria merci,
465 c'au cevalier face amener
celi qu'il i oï loer
e dont i fait si grant vantance.
— Entre nos dex soit la mostrance ;
s'ele est si bele, quite en soit,
470 u se ce non, faites m'en droit
del mesdit e de le blastenge. »
Li rois comande c'on le prenge,
n'avra de lui amor ne pais,
de prison n'istera jamais,
475 se cele n'est avant mostree
que de biauté a tant loee.
    Graelens est pris a tenus,
mix li venist estre teüs.
Au roi a demandé respit,
480 bien s'aperçoit qu'il a mesdit.
S'amie en cuide avoir perdue,
d'ire e de mautalent tresue.
Ja est bien drois que mal li tort,
plusor l'en plaignent en la cort,
485 le jor eut entor lui grant prese.
Dusqu'a l'autre an li rois le lesse,
ke sa feste rasanblera ;
tos ses amis i mandera
e ses barons e ses fievés.
490 La soit Graelens amenés,

Ils prétendent qu'il n'y a pas au monde son égale ! Eh bien, je vous apprends une nouvelle : on peut trouver une femme bien plus belle.

A ces mots, le roi fut consterné et le força à dire sous la foi du serment, s'il en savait une plus séduisante.

— Oh oui, dit-il, et qui en vaut trente comme elle !

La reine en fut blessée et en l'implorant obtint de son époux d'obliger le chevalier à amener celle dont il avait fait l'éloge et dont il se vantait tant.

— Qu'entre nous deux soit faite l'épreuve, dit-elle : si elle est si belle, qu'il en soit quitte ; sinon, faites-moi justice de cette médisance et de cet outrage.

Le roi ordonna qu'on se saisît de Graelent : il n'aura, dit-il, affection ni paix de sa part, il ne sortira pas de prison, s'il ne montre pas d'abord celle dont il a tant loué la beauté.

Graelent est mis sous bonne garde ; il aurait mieux fait de se taire. Il demande un délai au roi et s'aperçoit qu'il a parlé imprudemment ; il pense en avoir perdu son amie et sue de colère et de regret. Il est normal que cela tourne mal pour lui, plusieurs l'en plaignent à la cour. Il y a ce jour-là grande presse autour de lui. Le roi lui laisse jusqu'à l'année suivante, à l'assemblée de sa fête ; il mandera alors tous ses amis, ses barons et les possesseurs d'un fief ; que Graelent y soit présent

celi amaint ensanble o soi
que tant loa devant le roi.
S'ele est si bele e si vaillans
bien li pora estre varans,
495 cuites' en ert, rien n'i perdra ;
e s'el ne vient, jugiés sera,
en la merci le roi en iert,
assés set ceu qu'il i afiert.

    Graelens est de cort partis,
500 tristes, coreçous e maris ;
montés est sor un boin destrier,
a son hostel va herbegier.
Son canbrelenc a demandé,
mes il n'en a mie trové
505 que s'amie li eut tramis.
Or est Graelens entrepris,
mix vauroit estre mors que vis.
En une canbre s'est sex mis,
a s'amie crie merci,
510 por Diu, qu'il puist parler a li.
Ne li vaut rien, n'i parlera,
devant un an ne le verra,
ne ja n'avra de li confort,
ains ert jugiés pres de le mort.
515   Graelens maine grant dolor,
il n'a repos ne nuit ne jor.
Quant s'amie ne puet avoir,
sa vie met en noncaloir,
qu'ançois que li ans fust passés
520 fu Graelens si adolés
que il n'a force ne vertu.
Ce dïent cil qui l'ont veü,
mervelle est qu'il a tant duré.
Al jor que li rois ot nomé
525 ke sa feste devoit tenir,

et amène avec lui celle qu'il a tant louée devant le roi. Si elle est vraiment aussi belle, aussi exceptionnelle, elle lui servira de garant, il sera quitte et ne perdra rien. Si elle ne vient pas, il sera jugé et sera à la merci du roi. Graelent en sait bien les conséquences.

Graelent quitte la cour, triste, abattu, la mort dans l'âme ; il monte sur un bon destrier et regagne son logis. Il demande son chambellan, envoyé par son amie, mais ne le trouve pas. Le voilà bien embarrassé, il préférerait être mort. Il se retire seul dans une chambre, implore la pitié de son amie : par Dieu, qu'il puisse lui parler ! En vain. Il ne lui parlera pas, il ne la verra pas avant un an, ne recevra d'elle aucune consolation, mais risquera d'être condamné à mort.

Graelent se laisse aller à la douleur, sans repos nuit et jour. Puisqu'il ne peut avoir son amie, il n'attache plus de prix à la vie. Avant que l'an se soit écoulé, il est si abattu qu'il n'a plus ni force ni résistance. Ceux qui le voient disent que c'est miracle qu'il ait si longtemps survécu. Au jour fixé, le roi avait pour sa fête

li rois a fait grant gent venir.
Li plege amainent Graelent
devant le roi en son present.
Il li demande u est s'amie.
530 — Sire, dist-il, n'en amain mie,
ge ne le puis noient avoir.
Faites de moi vostre voloir. »
    Li rois respont : « Dant Graelent,
trop parlastes vilainement,
535 vers la roïne mespreïstes,
e tos mes barons desdeïstes.
Jamais d'autre ne mesdirés,
quant de mes mains departirés. »
    Li rois parole hautement :
540 « Segnor, dist il, del jugement
vos pri que ne le deportés,
selonc le dit qu'oï avés
ke Graelens oiant vous dist
e en ma cort honte me fist.
545 Ne m'aimme pas de boine amor
qui ma femme dist deshonor.
Ki volentiers fiert vostre cien,
ja mar querés qu'ils vos aint bien. »
    Cil de le cort sont fors alé,
550 al jugement sont asanblé.
Une grant piece sont tot coi,
qu'i n'i ot noise ne effroi ;
molt lor poise del cevalier,
s'il le voulent par mal jugier.
555 Ains que nus d'ex mot i parlast,
ne le parole racontast,
vint uns vallés, qui lor a dit
qu'il atendissent un petit ;
en la cort vienent dex puceles,
560 el roiame n'avoit plus beles ;

réuni une nombreuse assistance. Ceux qui répon-
daient de Graelent l'amenèrent en présence du roi qui
lui demanda où était son amie.

— Seigneur, dit-il, je ne l'amène pas, je n'ai pas
réussi à la trouver : Faites de moi ce que vous voudrez.

— Seigneur Graelent, répondit le roi, vos propos
ont été inconsidérés. Vous avez offensé la reine et
donné un démenti à mes barons. Vous ne médirez
plus de personne, quand vous sortirez de mes mains.

— Seigneurs, dit le roi d'une forte voix, je vous prie
de ne pas remettre à plus tard votre jugement d'après
ce que Graelent a dit en votre présence et que vous
avez entendu : il m'a couvert de honte en ma cour
même. Il n'aime pas d'une véritable affection, celui
qui déshonore ma femme par ses propos. De qui n'hé-
sita pas à donner un coup à votre chien vous croirez
difficilement qu'il vous aime bien.

Les gens de la cour se retirèrent et se réunirent pour
le jugement. Ils restèrent un long moment silencieux,
sans bruit, sans brouhaha, perplexes, car ils ne vou-
laient pas rendre un mauvais jugement sur le chevalier. Avant qu'aucun d'entre eux ne prît la parole et ne
fît une proposition, arriva un jeune homme qui les
pria d'attendre un peu : deux pucelles, dit-il, arri-
vaient à la cour, les plus belles du royaume,

al cevalier molt aideront,
se Diu plaist, sel delivreront.
Cil ont volentiers atendu ;
ains que d'iloeuc soient meü,
565 sont les damoiseles venues,
de grant biauté e bien vestues.
Bien sont en deux blïaus lacies,
graisles forment e bien delgies.
De lor palefrois descendirent,
570 a dex vallés tenir les firent,
en la sale vindrent au roi.
— Sire, dist l'une, entent a moi.
Ma damoisele nos comande,
e par nos dex vos prie e mande
575 c'un poi faites soufrir cest plait
e qu'il n'i ait jugement fait.
Ele vient ci a toi parler,
por le cevalier delivrer. »
Ainsi que cele eüst dit son conte,
580 eut la roïne mout grant honte.
Ne demoura gaires aprés,
devant le roi en son palés
vinrent dex autres molt plus gentes,
de color blances e roventes.
585 Au roi dïent qu'il atendist
que lor damoisele venist.
Mout furent celes esgardees
e lor biauté de toz loees ;
de plus beles en i avoit
590 que la roïne n'en estoit.
        Et quant lor damoisele vint,
tote la cort a li se tint.
Mout ert bele de grant maniere,
a dox sanblant, o simple ciere,
595 biax ex, biax vis, bele façon,

qui apporteraient une aide efficace au chevalier et, avec l'aide de Dieu, le délivreraient. On attendit volontiers et avant qu'on ait bougé de là, arrivèrent les demoiselles, d'une grande beauté, en habits somptueux. Elles portaient deux bliauts[1] ajustés, toutes deux sveltes et minces. Descendant de leurs palefrois, elles les firent tenir par deux valets, entrèrent dans la salle et se dirigèrent vers le roi.

— Seigneur, dit l'une, prêtez attention. Par nous deux qui sommes aux ordres de notre demoiselle, elle vous prie de surseoir un peu à ce procès et de ne pas encore rendre votre jugement. Elle vient vous parler pour délivrer le chevalier.

Avant la fin de ce message, la reine fut prise de honte. Peu après, deux autres demoiselles, encore plus séduisantes, au teint clair et rosé, se présentèrent devant le roi, en son palais, et le prièrent d'attendre l'arrivée de leur demoiselle. On les regarda beaucoup, tous louèrent leur beauté : il y avait donc des femmes plus belles que la reine !

Quand parut la demoiselle, leur maîtresse, toute la cour n'eut d'yeux que pour elle. Elle était d'une rare beauté : une attitude pleine de douceur, un visage modeste, de beaux yeux, un beau visage, un air élégant ;

---

1. *bliaut :* le bliaut est une tunique ajustée, souvent fourrée d'hermine que portaient les chevaliers sur ou sous le haubert (la cotte de mailles). On le revêt aussi au repas comme costume d'apparat. C'est également une robe d'une riche étoffe que portent les dames nobles.

en li n'a nient de mesproison ;
tot l'esgarderent a merveille.
D'une porpre toute vermeille
a or brosdee estroitement,
600 estoit vestue ricement ;
ses mantiax valoit .I. castel.
Un palefroi ot boin e bel ;
ses frains, sa sele e ses lorains
valoit mil livres de cartains.
605 Por li vëoir iscent tot hors,
son vis loerent e son cors
e son sanlant e sa faiture.
Ele venoit grant aleüre,
devant le roi vint a ceval,
610 nus ne li puet torner a mal.
A pié descent emmi la place,
son palefroi pas n'i atace.
Au roi parla cortoisement :
— Sire, fait ele, a moi entent,
615 e vous trestout segnor baron,
entendés ça a ma raison.
Asés savés de Graelent,
qu'il dist au roi devant sa gent
au tan a se grant asanblee
620 quant la roïne fu mostree,
ke plus bele femme ot veüe ;
ceste parole est bien seüe.
Verités est il mesparla,
puisque li rois s'en coreça.
625 Mais de ce dist il verité :
n'est nule de si grant biauté,
que autre si bele ne soit.
Or esgardés, sin dites droit.
Se par moi s'en puet aquiter,
630 li rois li doit quite clamer. »

elle ne méritait aucun reproche. Tous la regardaient avec stupéfaction. Elle était richement vêtue d'une éclatante étoffe pourpre, finement brodée d'or. Son manteau valait un château ; elle avait un bon et beau palefroi ; la bride, la selle et le harnais valaient mille livres en monnaie de Chartres. Pour la voir tout le monde sortit ; on admira son visage et son corps, ses manières, tout son être. Elle arriva à vive allure, vint à cheval jusque devant le roi, personne ne songea à la critiquer pour autant. Elle mit pied à terre au milieu de la place, sans attacher son palefroi, et s'adressa courtoisement au roi.

— Seigneur, fit-elle, prêtez-moi attention, et vous aussi, seigneurs barons. Ecoutez ce que je vais dire. Vous savez que Graelent, lors de la grande assemblée où fut exhibée la reine, dit au roi devant ses gens qu'il avait vu une femme plus belle : tout le monde connaît ses propos. Il est vrai qu'il eut tort de mal parler, puisque le roi s'en courrouça. Mais par ailleurs il a eu raison : aucune femme n'est d'une beauté telle qu'une autre ne soit aussi belle. Regardez donc ! Que votre jugement soit équitable grâce à moi. Graelent peut être tenu quitte, le roi doit le déclarer innocent.

N'i ot un seul petit ne grant,
ki ne desist bien en oiant,
qu'ensanble li a tel mescine
qui de biauté vaut la roïne.
635 Li rois meïsmes a jugié
devant sa cort e otroié
que Graelens est aquités,
bien doit estre quites clamés.
      Dementres que li plais dura,
640 Graelens pas ne s'oublia.
Son blanc ceval fist amener,
o s'amie s'en veut aler.
Quant ele ot fait çou qu'ele quist
e ot oï que li cors dist,
645 congié demande e prent del roi
e monte sor son palefroi.
De la sale se departi,
ses puceles ensanble o li.
Graelens monte e vait aprés
650 par mi le vile a grant eslés ;
tozjors li va merci criant,
el ne respont ne tant ne quant.
Tant ont lor droit cemin tenu,
qu'il sont a le forest venu ;
655 par mi le bos lor voie tinrent,
desi qu'a le reviere vinrent
ki en une lande sordoit
e par mi le forest couroit.
Mout en ert l'iaue blance e bele ;
660 dedens se met la damoisele.
Graelens veut aprés aler,
mais el li comence a crier :
« Fui, Graelent, n'i entre pas.
Se tu t'i mes, tu noieras. »
665 Il ne se prent de ce regart,

Il n'y eut personne, petit ou grand, qui ne convînt devant tous que Graelent avait avec lui une jeune fille dont la beauté égalait celle de la reine. Le roi en personne rendit son jugement devant sa cour et prononça l'acquittement de Graelent, qu'il était juste d'innocenter. Durant le procès, Graelent ne perdit pas de temps, il fit amener son cheval blanc, voulant s'en aller avec son amie. Quand elle eut obtenu gain de cause et entendu les conversations de la cour, elle prit congé du roi, monta sur son palefroi et quitta la salle, accompagnée de ses pucelles. Graelent se mit en selle et la suivit à travers la ville à bride abattue, implorant sans cesse le pardon, mais elle ne lui répondit mot.

Ils arrivèrent tout droit à la forêt et, poursuivant leur chemin, parvinrent à la rivière qui avait sa source dans une lande et qui coulait à travers la forêt ; l'eau en était pure et belle. La demoiselle y pénétra et Graelent s'apprêtait à la suivre, quand elle lui cria :

— Fuis, Graelent, n'entre pas ! Si tu entres, tu te noieras.

Il ne tint pas compte de cet avertissement

après se met, trop li est tart.
L'eve li clot deseur le front,
a grant painne resort amont.
Mais el l'a par la renne pris,
670 a terre l'a ariere mis.
Puis li dist qu'il n'i peut passer,
ja tant ne s'en sara pener ;
commande li que voist ariere.
Ele se met en la riviere,
675 mais il ne puet mie soufrir
que de lui le voie partir.
En l'eve entre tout a ceval,
l'onde l'enporte contreval,
departi l'a de son destrier.
680 Graelens fu près de noiier,
quant les puceles s'escrierent
ki aveuc la damoisele erent :
« Damoisele, por Dieu merci,
aiés pitié de vostre ami.
685 Veés, il noie a grant dolor ;
alas, mar vit onque le jor
ke vos primes a lui parlastes
e vostre amor li otroiastes.
Dame, voiiés, l'onde l'en mainne,
690 por Diu, car le getés de painne.
Mout est grans dex s'il doit morir,
coment le poeut vos coeurs soufrir ?
Trop par li estes ore dure,
aidiés li, car en prenés cure.
695 Damoisele, vostre amis nie,
soffrés qu'il ait un peu d'aïe ;
vous avés de lui grant pecié. »
La damoisele en ot pitié
de çou qu'ele les ot si plaindre,
700 ne se puet mais celer ne faindre.

et plein d'impatience, entra dans l'eau. Elle se referma
au-dessus de son front ; à grand peine il remonta à la
surface. Elle le saisit par les rênes et le tira jusqu'à
terre, puis lui dit qu'il ne pouvait traverser la rivière
malgré tous ses efforts et lui ordonna de s'en
retourner. Elle entra de nouveau dans la rivière, mais
il ne put supporter de la voir le quitter. Il pénétra dans
l'eau à cheval : le courant l'emporta, le privant de son
destrier. Graelent était sur le point de se noyer, quand
les pucelles de la demoiselle s'écrièrent :

— Demoiselle, par Dieu, ayez pitié de votre ami !
Voyez ! Il se noie en de grandes souffrances. Hélas !
Maudit soit le jour où vous lui avez parlé pour la
première fois et où vous lui avez accordé votre amour !
Dame, voyez, le courant l'entraîne. Par Dieu, tirez-le
de ce danger. Quel grand malheur, s'il doit mourir !
Comment votre cœur peut-il le souffrir ? Vous êtes
trop dure pour lui. Aidez-le, venez à son secours.
Demoiselle, votre ami se noie, apportez-lui un peu
d'aide, sinon vous êtes coupable envers lui.

La demoiselle eut pitié en entendant leurs plaintes.
Elle ne pouvait manquer d'agir.

Hastivement est retornee,
a le riviere en est alee,
par les flans saisist son ami,
si l'en amaine ensanble o li.
705 Quant d'autre part sont arivé,
ses dras moulliés li a osté,
de son mantel l'a afublé,
en sa terre l'en a mené.
Encor dïent cil du païs
710 que Graelens i est tous vis.
Ses destriers qu'i donc escapa,
por son segnor grant dol mena ;
en le forest fist son retor,
ne fu en pais ne nuit ne jor,
715 des piés grata, forment heni,
par le contree fu oï.
Prendre cuident e retenir,
onques nus d'aus nel pot saisir.
Il ne voloit nului atendre,
720 nus ne le puet lacier ne prendre.
Mout lonc tans aprés l'oï on
cascun an en cele saison
que se sire parti de li,
le noise e le friente e le cri
725 ke li bons cevaux demenot
por son segnor que perdu ot.
L'aventure du bon destrier,
l'aventure du cevalier,
com il s'en ala o s'amie,
730 fu par tote Bretaigne oïe.
Un lai en firent li Breton,
Graalent Mor l'apela on.

Tout de suite elle fit demi-tour jusqu'à la rivière, saisit son ami par les flancs et l'amena à elle. Une fois sur la berge, elle lui enleva ses vêtements mouillés, le recouvrit de son manteau et l'emmena en sa terre.

Ceux du pays disent encore que Graelent y est vivant. Son destrier qui en réchappa manifesta une grande douleur pour son maître ; il retourna dans la forêt, ne fut en paix ni nuit ni jour. Il grattait la terre des sabots, hennissait fortement ; on l'entendait dans toute la contrée. Les gens essayaient de le prendre et de le retenir, mais personne ne put se saisir de lui. Il se dérobait et on ne parvint ni à l'attraper ni à l'attacher. Bien longtemps après, on entendait encore, chaque année, à l'époque où Graelent le perdit, les appels, le vacarme et les cris que lançait le bon cheval pour le maître qu'il avait perdu. L'histoire du fidèle destrier et celle du chevalier qui s'en alla avec son amie fut contée dans toute la Bretagne. Les Bretons en firent un lai qu'on appela le lai de Graelent Mor.

C'EST LE LAY DE GUINGAMOR

LAI DE GUINGAMOR

D'un lay vos dirai l'aventure :
nel tenez pas a troveüre,
veritez est ce que dirai,
Guingamor apele on le lai.
5 En Bretaingne ot .I. roi jadis,
la terre tint et le païs ;
molt ot en lui noble baron,
ne sai, por voir, nomer son non.
.I. sien neveu avoit li rois,
10 qui molt fu sages et cortois ;
Guingamor estoit apelez,
chevalier ert, preuz et senez.
Por sa valor, por sa biauté
li rois le tint en grant chierté ;
15 de lui voloit fere son oir,
car ne pooit enfant avoir.
Et il fesoit molt a amer,
biau sot promestre, et bien doner,
molt ennoroit les chevaliers,
20 les serjanz et les escuiers ;
par toute la terre ert proisiez
car molt ert franz et enseigniez.
        Li rois ala .I. jor chacier,
en la forest esbanoier.
25 Ses niés estoit ce jor seingniez,
si estoit auques deshetiez.
Ne pot le jor em bois aler,
a son ostel vet sejorner ;
pluseurs des compaingnons le roi
30 a retenuz ensemble o soi.
A primes de jor se leva,
por deduire el chastel ala.
Le seneschal l'a encontré,
ses braz li a au col gité ;
35 tant ont parlé qu'a .I. tablier

Je vais vous dire l'aventure rapportée dans un lai.
Ne croyez pas que ce soit fiction, c'est la pure vérité.
On l'appelle le lai de Guingamor.

Il y avait jadis en Bretagne un roi qui régnait sur le
pays, un noble seigneur dont je ne sais vraiment vous
dire le nom. Il avait un neveu sage et courtois qui
s'appelait Guingamor : c'était un chevalier brave et
plein de sens. Pour sa valeur et sa beauté le roi l'avait
en grande affection ; ne pouvant avoir d'enfant, il voulait faire de lui son héritier. Guingamor méritait d'être
aimé : large en promesses et en cadeaux, il traitait
avec honneur les chevaliers, les serviteurs et les
écuyers. On l'estimait dans tout le pays pour sa générosité et sa bonne éducation.

Un jour le roi alla à la chasse se divertir dans la
forêt. Ce jour-là son neveu s'était fait saigner et se
trouvait un peu mal en point. Ne pouvant aller dans
les bois, il alla se reposer chez lui et retint auprès de
lui plusieurs des compagnons du roi. Dès la première
heure il se leva, alla au château pour se distraire. Il
rencontra le sénéchal et lui jeta les bras au cou.

     se sont alé esbanoier.
     La roïne estoit fors issue,
     a l'uis de la chambre est venue,
     aler voloit a la chapele.
40   Molt estoit longue et gente et bele.
     Por le chevalier esgarder
     qu'ele vit au tablier jouer,
     une grant piece s'arestut,
     n'ala avant, ne ne se mut.
45   Bel li sembla de grant mesure
     de cors, de vis et de feture.
     Contre une fenestre seoit,
     .I. rai de soleil li venoit
     el vis, que tout l'enluminoit
50   et bone color li donnoit.
     Tant l'a la roïne esgardé
     que tout en change som pensé,
     Por sa biauté, por sa franchise,
     de l'amor de lui ert esprise.
55   Ariere s'en vait la roïne,
     si apela une meschine.
     — Alez, fet ele, au chevalier
     qui laienz siet a l'eschequier,
     Guingamor, le neveu le roi,
60   si li dites qu'il viengne a moi. »
     Cele est au chevalier venue,
     de par sa dame le salue
     et dit qu'il viengne a lui parler.
     Guingamor let le jeu ester ;
65   o la meschine s'en ala
     et la roïne l'apela,
     dejoste li le fist sëoir.
     Cil ne se pot apercevoir
     por coi li fet si bel semblant.
70   La roïne parla avant :

Après une longue conversation, ils s'assirent à l'échiquier pour faire une partie. Sortant de sa chambre, la reine qui voulait se rendre à la chapelle, se tenait sur le seuil. Elle était élancée, attirante et belle. Pour regarder le chevalier qu'elle voyait jouer à l'échiquier elle s'arrêta un long moment, immobile, sans faire un pas de plus. Il lui sembla beau, de corps, de visage, de stature. Il était assis contre une fenêtre ; un rayon de soleil frappait son visage, l'inondant de lumière et lui donnant une éclatante couleur. La reine le regarda tant qu'elle en fut bouleversée ; pour sa beauté, pour son air noble elle s'éprit de lui.

Elle revint sur ses pas et appela une servante.

— Allez trouver, fit-elle, le chevalier assis là-bas à l'échiquier, Guingamor, le neveu du roi, et dites-lui de venir me trouver.

La servante va vers le chevalier, le salue de la part de sa maîtresse et le prie d'aller lui parler. Guingamor abandonne le jeu et s'en va avec la servante. La reine lui fait signe et le fait asseoir auprès d'elle. Il ne comprend pas bien pourquoi elle lui réserve un si bel accueil. La reine prend la parole la première :

« Guingamor, molt estes vaillans,
preuz et cortois et avenans,
riche aventure vos atent,
amer pouez molt hautement.
75 Amie avez, cortoise et bele,
je ne sai dame ne danzele
el roiaume de sa valor,
si vous aimme de grant amor,
bien la tenez por vostre drue. »
80 Li chevaliers l'a respondue :
« Dame, fet il, ne sai conment
j'amasse dame durement,
s'ançois ne l'eüsse veüe
et acointie et conneüe.
85 Onques mes n'en oï parler,
ne quier ouan d'amor ovrer. »
        La roïne li dist : « Amis,
ne soiez mie si eschis ;
moi devez vos tres bien amer,
90 je ne faz mie a refuser,
car je vos aim de mon corage
et amerai tout mon aage. »
Li chevaliers s'est porpensez,
si respondi conme senez :
95 « Bien sai, dame, q'amer vos doi,
fame estes mon seignor le roi,
et si vos doi porter honnor
comme a la fame mon seignor. »
La roïne li respondi :
100 « Je ne di mie amer ainsi,
amer vos voil de druerie
et que je soie vostre amie.
Vos estes biax et je sui gente,
s'a moi amer metez entente,
105 molt poons estre andui hetié. »

— Guingamor, vous êtes vaillant, preux, courtois et avenant : une belle aventure vous attend, vous pouvez aimer en haut lieu. Vous avez une amie courtoise et belle, je ne connais dans le royaume dame ni demoiselle de sa valeur. Elle vous aime d'un grand amour. Considérez-la comme votre intime amie.

— Dame, répond le chevalier, je ne comprends pas comment j'aimerais profondément une dame sans d'abord l'avoir vue, abordée et connue. Je n'ai jamais entendu parler d'elle et pour l'instant je ne songe pas à l'amour.

— Ami, dit la reine, ne soyez donc pas si timide. C'est moi que vous devez profondément aimer, je ne mérite pas un refus, car je vous aime de tout mon cœur et je vous aimerai toute ma vie.

Le chevalier reste perplexe et répond en homme sensé :

— Je sais bien, dame, que je dois vous aimer ; vous êtes la femme de mon seigneur le roi, je vous dois le respect qu'on doit à la femme de son seigneur.

— Je ne parle pas, répond-elle, d'une affection de cette sorte, je veux vous aimer d'amour et être votre amie. Vous êtes beau et je suis belle ; si vous mettez vos soins à m'aimer, nous pouvons en avoir tous deux du plaisir.

Vers lui le tret, si l'a besié.
Guingamor entent qu'ele dit
et quele amor ele requist,
grant honte en a, tout en rogi.
110 Par mautalent se departi,
de la chambre s'en vost issir ;
la dame le vet retenir,
par le mantel l'avoit saisi
que les ataches en rompi ;
115 fors s'en issi, toz desfublez.
Au tablier dont estoit tornez
se rest assis molt triboulez ;
tant avoit esté corouciez
que du mantel ne li membra ;
120 desfublez fu et si joua.
La roïne ert en grant effroi,
molt fu dolente por le roi.
Qant Guingamor a si parlé
et de son estre tant mostré,
125 pëor ot qu'il ne l'encusast,
envers son oncle l'empirast.
Une meschine a apelee
qui molt estoit de li privee,
le mantel li avoit baillié,
130 a Guingamor l'a envoié ;
ele li a entor lui mis.
Tant ert esfreez et pensis
qu'il ne sot qant el li bailla,
et la pucele ariere ala.
135 Desq'au vespré toute ensi fu
en grant pëor que venu fu
li rois, et qu'il vint de chacier
et qu'il s'asist a son mengier.
Molt ot le jor bien esploitié,
140 si compaingnon sont tuit hetié.

Elle s'approche de lui et lui donne un baiser.

Guingamor comprit parfaitement ses paroles et quel amour elle souhaitait. Il en éprouva une grande honte et il en rougit. Avec colère il la quitta pour sortir de la chambre, mais la dame voulut le retenir ; elle le saisit par son manteau au point d'en rompre les attaches. Il sortit sans manteau et se rassit plein de trouble à l'échiquier qu'il avait quitté, si irrité qu'il oublia le manteau et, dans cet état d'esprit, il reprit la partie.

La reine était fort inquiète, soucieuse à cause du roi. D'après les propos et l'attitude de Guingamor, elle craignait qu'il ne l'accusât et ne lui fît du tort auprès de son oncle. Elle appela une suivante, sa familière, lui donna le manteau et l'envoya à Guingamor. La suivante lui en recouvrit les épaules, mais il était si anxieux, si plongé dans ses pensées qu'il ne s'en rendit pas compte. La pucelle s'en retourna.

La reine vécut dans l'appréhension jusqu'au soir, lorsque le roi, de retour de la chasse, s'assit pour le repas. Il avait passé une bonne journée et ses compagnons étaient tous de bonne humeur.

Aprés mengier joënt et rient,
lor aventures s'entredient,
chascuns parole de son fet,
qui ot failli, qui ot bien tret.
145 Guingamor n'i ot pas esté,
molt l'en a durement pesé,
em pais se tint, mot ne sonna
et la roïne l'esgarda.
Por lui grever et corroucier
150 vet tel parole commencier
dont chascun par soi pesera ;
vers le chevalier s'en torna.
— Molt vos oi, fet ele, vanter
et vos aventures conter.
155 Mes n'a ceanz nul si hardi
de toz iceus que je voi ci,
qui en la forest ci defors,
la ou converse li blans pors,
osast chacier ne soner cor,
160 qui li donroit mil livres d'or.
En merveilleus los se metroit,
qui le senglier prendre porroit. »
Tuit se taisent li chevalier
qui ne se veulent essaier.
165 Guingamor a bien entendu
qu'elle a por lui cest plet meü.
Par la sale sont tuit pensif,
n'i ot ne noise ne estrif.
Li rois premiers la respondi :
170 « Dame, sovent avez oï
l'aventure de la forest.
Ce sachiez vos, molt me desplest
qant en nul leu en oi parler.
Onques nus hon n'i pot aler
175 qui puis em peüst reperier

Après le repas, ce furent jeux et rires ; ils racontaient entre eux leurs exploits, chacun dit ce qu'il avait fait, qui avait manqué son coup, qui avait bien tiré. Guingamor qui n'avait pas pris part à la chasse le regretta amèrement. Il restait immobile et muet, la reine le regardait. Pour lui nuire et le mettre en colère, elle engagea des propos qui ne feront plaisir à personne. Se tournant vers le chevalier, elle dit :

— J'ai entendu les éloges qu'on fait de vous et le récit de vos aventures, mais de tous ceux que je vois ici il n'y a pas un seul, lui donnerait-on mille livres d'or, assez brave pour oser chasser le blanc sanglier qui vit là dehors dans la forêt, ni sonner du cor. Il acquerrait un prestigieux renom celui qui pourrait prendre le sanglier.

Tous les chevaliers se turent, ne voulant tenter l'épreuve. Guingamor comprit bien que ce défi s'adressait à lui. Dans la salle tous restaient pensifs ; on n'entendait ni bruit ni contestation. Le premier, le roi répondit :

— Dame, vous avez souvent entendu parler de l'aventure de la forêt. Sachez que je déteste en entendre parler, où que ce soit : aucun de ceux qui sont allés chasser la bête n'en est revenu.

por qoi le porc peüst chacier ;
la lande i est aventureuse
et la riviere perilleuse.
Molt grant dommage i ai eü,
180 .X. chevaliers i ai perdu,
toz les meillors de ceste terre
que le senglier alerent querre. »
        La parole ont atant lessie,
atant departi la mesnie,
185 a lor ostex vont herbergier
et li rois est alez couchier.
Guingamor si n'oublia mie
la parole qu'il ot oïe ;
en la chambre le roi entra
190 et devant lui s'agenoilla.
    — Sire, fet il, je vos requier
d'une chose dont j'é mestier,
que je vos pri que me doigniez ;
du donner ne m'escondisiez. »
195 Li rois li dist : « Je vos otroi,
biaus niés, ce que toi plet, di moi ;
seürement me demandez ;
ja cele chose ne vosdrez,
ne face vostre volenté. »
200 Li chevaliers l'a mercïé,
puis li dit qu'il li requeroit
et quel don donné li avoit :
    — En la forest irai chacier. »
Si li requiert son lïemmier,
205 som brachet et son chacëor,
et sa muete li prest le jor.
        Le rois oï que ses niés dist
et la requeste que il fist.
Molt fu dolent, ne set que fere ;
210 de l'otroi se voloit retraire

La lande y est dangereuse et la rivière pleine de périls. J'en ai subi beaucoup de lourdes pertes, dix chevaliers, les meilleurs de ma terre qui sont allés affronter le sanglier.

La conversation en resta là, l'entourage se dispersa, chacun regagnant sa demeure et le roi alla se coucher. Mais Guingamor n'oublia pas ce qu'il avait entendu, il entra dans la chambre du roi et s'agenouilla devant lui.

— Seigneur, dit-il, je vous demande une chose dont j'ai besoin et je vous prie de me l'accorder, ne me la refusez pas.

— Cher neveu, dit le roi, je vous accorde tout ce qui vous fera plaisir, dites-le-moi, n'ayez pas peur de me le demander ; j'accéderai à vos désirs pour tout ce que vous voudrez.

Le chevalier le remercia, formula sa requête et lui en dit l'objet :

— J'irai chasser dans la forêt.

Il demande son limier, son chien et son cheval de chasse et prie le roi de lui prêter sa meute pour la journée. Le roi entend bien ce que son neveu lui dit, il en est contrarié et ne sait que faire, il veut revenir sur sa parole,

et dist qu'il le lessast ester,
ne li doit pas ce demander.
Ne soufreroit qu'il i alast,
por qoi le blanc sengler chaçast,
215 qui son pesant d'or li donroit,
car je mes ne repereroit.
Se son bon brachet li prestoit
et son chacëor li bailloit
(n'avoit avoir qu'il amast tant,
220 ne le donroit por rien vivant)
ja mes n'esteroient veüz
car il les avroit lués perduz.
Ce dit, se perduz les avoit
que totjors mes dolenz seroit.
225 Guingamor respondi le roi :
« Sire, en la foi que je vos doi,
ne leroie por rien qui soit,
qui tot le monde me donroit,
que demain ne chaz le senglier.
230 Se vos ne me volez prester
le brachet que tant avez chier,
le cheval et le lïamier
et la muete des autres chiens,
tex con il sont, prendré les miens. »
235 La roïne i est sorvenue
qui la parole a entendue.
Ce que Guingamor demandot,
tres bien sachiez, forment li plot.
Au roi proia que il feïst
240 ce que li chevaliers requist ;
delivree en cuide estre atant,
nel verra mes en son vivant.
Tant l'a la roïne proié,
que li rois li a ostroié.
245 Guingamor congié demanda,

demande à Guingamor de renoncer à sa requête et à son projet : pour son pesant d'or il ne souffrirait pas de le laisser aller chasser le blanc sanglier, car jamais il n'en reviendrait. S'il lui prêtait son chien et son cheval de chasse — auxquels il tenait par-dessus tout et qu'il ne donnerait pour rien au monde —, il ne les verrait plus jamais ; à l'instant ils seraient perdus et il ne s'en consolerait pas.

— Seigneur, répond Guingamor, au nom de la fidélité que je vous dois, je ne renoncerai à aucun prix, me donnerait-on le monde entier, à chasser demain le sanglier. Si vous ne voulez pas me prêter le chien que vous aimez tant, le cheval de chasse, le limier et la meute de chiens, je prendrai les miens.

La reine était survenue et avait surpris la conversation. Les exigences de Guingamor lui firent grand plaisir, sachez-le. Elle pria le roi de consentir aux désirs du chevalier, escomptant en être débarrassée ainsi et ne plus le voir de sa vie. Elle supplia tant le roi qu'il y consentit. Guingamor prit congé

a son ostel liez s'en ala ;
onques ne pot la nuit dormir.
Quant il vit el jor esclarcir,
son oirre fet tost aprester
250 et toz ses compaingnons mander,
toute la mesnie le roi
qui por lui erent en esfroi,
qui destorbassent et nuisissent
molt volentiers, se il poïssent.
255 Le chacëor le roi manda
que la nuit devant li presta,
et le brachet et son bon cor
qu'il ne donnast por son pois d'or,
.II. muetes de bons chiens le roi
260 fet Guingamor mener o soi ;
n'oublia pas son liamier.
Li rois l'est alez convoier ;
cil de la vile, li borjois
et li vilain et li cortois
265 le convoierent autresi
o grant dolor et o grant cri ;
et nes les dames i aloient,
merveilleus duel por lui faisoient.
Au brueil plus pres de la cité
270 sont tuit li venëor alé ;
li venëor avant alerent,
le lïamier o eus menerent.
La trace quierent du senglier,
por ce qu'ilec siut converser.
275 Trovee l'ont et conneüe,
car plusors foiz l'ont porveüe ;
tant ont tracié qu'il l'ont trové
en .I. buisson espés ramé.
Avant mainnent le lïamier,
280 si le lessierent abaier,

et tout joyeux regagna son logis ; il ne put fermer l'œil
de la nuit. Quand il vit venir le jour, il prépara rapidement son équipée et manda ses compagnons. Tous
les gens de la maison du roi étaient très inquiets pour
lui ; s'ils l'avaient pu, ils l'auraient détourné de son
projet en y faisant obstacle. Guingamor fit venir le
cheval que la veille au soir lui avait prêté le roi, il
emmena avec lui le chien, le beau cor qu'il n'aurait
pas cédé pour son pesant d'or et les deux bonnes
meutes du roi, sans oublier le limier.

Le roi lui fit escorte ainsi que les gens de la ville,
bourgeois, vilains, hommes de la cour, profondément
affligés parmi leurs douloureuses lamentations. Les
dames elles-mêmes qui l'accompagnaient ne cachaient
pas leur angoisse. Les veneurs arrivèrent au petit bois
proche de la cité, ils ouvraient la marche en menant
avec eux le limier. Ils cherchèrent la trace du sanglier
qui rôdait habituellement dans ces parages, ils la
découvrirent et la reconnurent pour l'avoir plusieurs
fois remarquée. Ils trouvèrent finalement le sanglier
dans des broussailles aux branches denses. Ils lancèrent le limier le premier, et le laissèrent aboyer

par force l'ont du brueil geté.
Guingamor a le cor sonné,
l'une muete fist descoupler
et l'autre fist avant mener,
285 pres de la forest l'atendront,
mes ja dedenz n'en enterront.
Guingamor conmence a chacier
et li pors prist a tornoier,
du brueil se part molt a envis,
290 li chien le sievent a hauz cris.
Pres de la forest l'ont mené,
mes il estoient tuit lassé,
ne se pooient preu aidier,
les autres i ont fet lessier.
295 Guingamor va sovent sonnant
et la muete va glatissant,
de toutes pars le sievent pres,
el brueil ne tornera hui mes.
En la forest s'est embatuz,
300 Guingamor est aprés venuz ;
le brachet porte detriers soi
qu'il avoit emprunté au roi.
Cil qui l'alerent convoier,
li rois et tuit si chevalier
305 et li autre de la cité,
defors le bois sont aresté,
n'en lesse nul aler avant.
Illeques sont demoré tant
comme il porent le cor oïr
310 et les chiens oïrent glatir ;
ariere sont tuit retorné,
a Dieu du ciel l'ont conmandé.
Li senglers s'en va esloingnant
et les plusors des chiens lassant.
315 Guingamor a pris le brachet,

et levèrent de force le sanglier qui sortit des buissons.

Guingamor sonna du cor, fit lâcher une meute et avancer l'autre. Les chiens l'attendront près de la forêt, mais n'y entreront pas. Guingamor commença la poursuite et le sanglier se mit à tourner en tous sens, quittant bien malgré lui les broussailles. Les chiens le traquaient avec de forts aboiements, ils le menèrent près de la forêt, mais, épuisés, ils furent incapables de plus grands efforts. On lâcha alors la seconde meute ; Guingamor continuait à sonner du cor et la meute à hurler, serrant de près le gibier qui ne retournera plus dans sa broussaille ; il se lança en pleine forêt. Guingamor le poursuivit avec, en croupe, le chien qu'il avait emprunté au roi.

Ceux qui lui avaient fait escorte, le roi, ses chevaliers et les gens de la cité, s'arrêtèrent à l'orée de la forêt. Le roi leur interdit de s'avancer et ils restèrent là aussi longtemps qu'ils purent entendre le son du cor et les aboiements des chiens, puis ils firent tous demi-tour en recommandant Guingamor au Dieu du ciel.

Le sanglier s'éloigna, fatigant presque les chiens. Guingamor prit alors son chien,

le lien ostë, aprés l'i met,
et il i corut volentiers
dont s'esforça li chevaliers
de bien corner et d'enchaucier,
320 por le brachet son oncle aidier.
Molt li plesoient li doz cri,
mes en poi d'eure le guerpi,
et le brachet et le sengler
n'oï abaier ne crier.
325 Molt est dolenz, molt li desplest
l'espoisse erre de la forest,
cuide q'ait le brachet perdu,
onques mes si dolent ne fu
por son oncle, qui tant l'ama.
330 Par mi la forest s'adreça,
en .I. haut tertre est arestez,
molt est dolenz et esgarez.
Li tens fu clers et li jors biaus,
de toutes parz ot les oissiaus,
335 mes il n'i entendoit noient ;
n'i estut gueres longuement.
Le brachet oï loinz crier,
et il conmença a corner,
angoisseus ert ainz qu'il le voie.
340 En une clere fouteloie
vit venir lui et le sengler
et vers la lande trespasser.
Hastivement le cuide ataindre,
hurte, si point, ne s'i veut faindre,
345 en son corage s'esjooit
et a soi meïsmes disoit
que, s'il puet prandre le sengler
et sainz ariere retorner,
parlé en ert mes a toz dis,
350 et molt en acuidra grant pris.
En la grant joie qu'il en a

lui enleva la laisse, le mit sur la trace et le chien
s'élança après la bête. Le chevalier ne ménagea pas ses
forces pour sonner du cor, pour forcer le sanglier et
pour aider le chien de son oncle. Les petits aboiements du chien lui plaisaient beaucoup, mais bientôt il
le perdit de vue et n'entendit plus aboyer ni crier le
chien et le sanglier. Déçu, en difficulté pour se frayer
un chemin dans les profondeurs inextricables de la
forêt, il pensait avoir perdu son chien et il en était
triste pour son oncle qui l'aimait tant.

S'avançant à travers la forêt, il s'arrêta sur un tertre
élevé, désemparé, la mort dans l'âme. Le temps était
clair et belle la journée, il entendait les oiseaux de tous
côtés, mais n'y prêtait pas attention. Il n'était pas là
depuis longtemps, lorsqu'il entendit le chien aboyer
au loin, il se mit à sonner du cor, anxieux de le revoir.
Dans une clairière de hêtres il vit venir le sanglier et le
chien qui passèrent en direction de la lande. Il pensa
vite les atteindre, piqua des deux avec vigueur, il se
réjouit au fond de son cœur et se dit que s'il pouvait
prendre le sanglier et revenir sain et sauf, on parlerait
de lui tous les jours et il serait assuré d'un beau
renom.

Plein de joie,

mist cor a bouche, si sonna,
merveilleus son donna li cors.
Par devant lui passa li pors
355 et li brachez le sieut de pres.
Guingamor point a grant eslés
par mi la lande aventureuse
et la riviere perilleuse,
tot droit par mi la praierie
360 dont l'erbe estoit vert et florie.
Por poi ne l'aloit ataingnant,
mes il a esgardé avant :
d'un grant palés vit les muraus
qui molt estoit bien fez sanz chaus ;
365 de vert marbre fu clos entor
et sor l'entree ot une tor,
d'argent paroit qui l'esgardoit,
merveilleuse clarté rendoit ;
les portes sont de fin yvoire,
370 d'or entaillies a trifoire,
n'i ot barre ne fermeüre.
Guingamor vint grant aleüre ;
qant la porte vit si overte
et l'entree du tout aperte,
375 porpensa soi qu'il enterra.
Aucun preudonme i trovera
qui ce porpris a a garder ;
savoir vorra et demander
qui sires est de ce palais,
380 onques si riche ni vit mais,
molt se delite en esgarder.
A son porc cuide recovrer
ainz que gueres soit esloingnié,
por ce que molt ert traveillié.
385 Enz est entrez tot a cheval,
enmi le palés prist estal

il porta le cor à sa bouche et sonna ; le cor rendit un
son merveilleux. Le sanglier passa devant lui et le
chien le suivit de près. Guingamor piqua des deux, à
bride abattue, à travers la lande riche en aventures et
la rivière périlleuse, tout droit vers la prairie à l'herbe
verte et fleurie. Il était sur le point d'atteindre le sanglier, quand il vit devant lui les murs d'un grand palais
à la belle architecture, bâti en pierres vives. Il était clos
de marbre vert ; à l'entrée était une tour qui, aux
regards, paraissait d'argent ; d'elle émanait une merveilleuse clarté. Les portes étaient d'ivoire fin, avec
des ciselures en or ; il n'y avait ni verrou ni fermeture.

Guingamor arriva à toute allure ; voyant la porte
grande ouverte et l'entrée entièrement dégagée, il
décida d'y pénétrer : il trouvera bien, pense-t-il, un
homme avisé, gardien de cette enceinte, et il demandera qui est le seigneur de ce palais ; jamais il n'en
avait vu de si riche et il se délectait à le contempler. Il
pensait retrouver son sanglier avant qu'il ne se soit
beaucoup éloigné, car il se sentait épuisé. Il entra
donc à cheval, s'arrêta au milieu du palais

et esgarde tout entor soi ;
mes n'i trueve ne ce ne qoi,
ne trova rien se fin or non,
390 neïs les chambres environ
sont a pierres de paradis.
De ce li a semblé le pis :
home ne fame n'i trova,
mes autre part se reheta
395 que tele aventure a trovee
por raconter en sa contree.
Grant aleüre vet ariere
par mi les prez lez la riviere,
n'a mie de son porc veü,
'400 et lui et le chien a perdu.
Or est Guingamor escharniz.
— Par foi, fet il, je suis traïz.
Bien me puis tenir a bricon
por esgarder une messon
405 cuit avoir perdu mon travail.
Se n'ai mon chien et au porc fail,
ja mes joie ne bien n'avrai,
n'en mon païs ne tornerai. »
Guingamor estoit molt pensis,
410 el haut de la forest s'est mis
et conmença à escouter
se le brachet oïst crier ;
a destre de lui l'a oï.
Tant escouta, tant entendi,
415 qu'il l'oï loing et le sengler.
Donques reconmence a corner,
a l'encontre lor est alez.
Li pors s'en est outre passez
et Guingamor aprés se met,
420 semont et hue le brachet,
enz el chief de la lande entra.

et porta ses regards tout autour de lui, mais il n'y trouva rien : que de l'or fin. Les chambres tout autour étaient en pierres de paradis. Ce qui lui sembla étrange, c'est de ne rencontrer ni homme ni femme. Par ailleurs, il se réjouit d'avoir trouvé une aventure à raconter dans son pays.

Il revient à vive allure par les prés, le long de la rivière, mais ne voit aucune trace de son sanglier : il l'a perdu, et le chien aussi. Le voilà tout penaud.

— Ma foi, dit-il, je suis bien attrapé ! Je puis bien me prendre pour un imbécile, d'avoir perdu ma peine pour admirer une maison ! Si je n'ai pas mon chien et si je laisse échapper le sanglier, c'en est fini de ma joie et de toute satisfaction, et je ne retournerai pas dans mon pays.

Pensif, il gagne les hauteurs de la forêt et tend l'oreille pour entendre crier le chien : il l'entend à sa droite, prête attention et il l'entend au loin, ainsi que le sanglier. Il recommence à sonner du cor et va à leur rencontre. Le sanglier passe devant lui, Guingamor se met à sa poursuite et par ses cris excite son chien.

Il gagne l'extrémité de la lande

Une fontaine illec trova
desoz .I. olivier foillu,
vert et flori et bien branchu ;
425 la fontaingne ert et clere et bele,
d'or et d'argent ert la gravele.
Une pucele s'i baingnoit
et une autre son chief pingnoit ;
el li lavoit et piez et mains.
430 Biaus membres ot, et lons et plains,
el siecle n'a tant bele chose,
ne fleur de liz, ne flor de rose,
conme cele qui estoit nue.
Desque Guingamor l'ot veüe,
435 commeüz est de sa biauté,
le frain du cheval a tiré ;
sor .I. grant arbre vit ses dras,
cele part vint, ne targe pas,
el crues d'un chiesne les a mis.
440 Qant il avra le sengler pris,
ariere vorra retorner
et a la pucele parler ;
bien set qu'ele n'ira pas nue.
Mes ele s'est aparceüe,
445 le chevalier a apelé
et fierement aresonné :
« Guingamor, lessiez ma despoille.
Ja Deu ne place ne ne voille
qu'entre chevaliers soit retret
450 que vos faciez si grant mesfet
d'embler les dras d'une meschine
en l'espoisse de la gaudine.
Venez avant, n'aiez esfroi,
herbergiez vos hui mes o moi.
455 Toute jor avez traveillié,
si n'avez gueres esploitié. »

et trouve là une source sous un olivier feuillu, vert, fleuri et luxuriant. L'eau est claire et belle, le gravier d'or et d'argent. Une pucelle s'y baigne, une autre lui peigne sa chevelure et lui lave les pieds et les mains. La pucelle avait un beau corps, svelte, mais bien en chair : il n'y avait rien d'aussi beau au monde, ni fleur de lys, ni fleur de rose, que cette femme dans sa nudité.

Dès que Guingamor l'aperçut, il fut frappé de sa beauté ; il tira sur la bride du cheval. Voyant ses vêtements sur un grand arbre, il s'y dirigea aussitôt et les déposa au creux d'un chêne. Quand il aura pris le sanglier, se dit-il, il reviendra pour parler à la pucelle, certain qu'elle ne s'en ira pas toute nue. Mais elle s'en aperçut ; elle interpella le chevalier et lui adressa fièrement la parole :

— Guingamor, ne touchez pas à mes vêtements ! Qu'à Dieu ne plaise et qu'il ne permette pas qu'on raconte parmi les chevaliers que vous commettiez un outrage aussi grand que de dérober les vêtements d'une jeune fille au cœur de la forêt ! Approchez, n'ayez pas peur, venez aujourd'hui loger chez moi. Vous avez peiné toute la journée, et sans grand résultat.

Guingamor est alez vers li,
ses dras li porta et tendi,
de son offre le mercïa
460 et dist, pas ne herbergera,
car il avoit son porc perdu
et le brachet qui l'a seü.
La damoisele li respont :
— Amis, tuit cil qui sont el mont
465 nu porroient hui mes trover,
tant ne s'en savroient pener,
se de moi n'avoient aïe.
Lessiez ester vostre folie,
venez o moi par tel covent
470 et je vos promet loiaument
que le sengler pris vos rendrai
et le brachet vos baillerai
a porter en vostre païs
jusq'a tierz jor ; je vos plevis.
475 — Bele, ce dit li chevaliers,
je herbergerai volentiers
par tel covent con dit avez. »
Descenduz est et arestez.
La pucele tost se vesti,
480 et cele qui fu avec li
li a une mule amenee
de riche ator, bien afeutree,
avec son oes .I. palefroi,
meillor n'en ot ne quens ne roi.
485 Guingamor sivi la pucele,
qant levee l'ot en la sele,
puis est montez, sa resne prent.
De bon cuer l'esgarde sovent,
molt la vit bele et longue et gente,
490 volentiers i metoit s'entente
qu'ele l'amast de druerie ;

Guingamor va vers elle, lui apporte et lui tend ses vêtements ; il la remercie de son offre et lui dit qu'il ne peut pas accepter son hospitalité, car il a perdu son sanglier ainsi que son chien qui le poursuivait.

— Ami, répond la demoiselle, personne au monde ne pourrait le trouver sans mon aide, quels que soient ses efforts. Abandonnez votre folle entreprise, venez avec moi et je vous promets loyalement que, d'ici trois jours, je vous livrerai le sanglier et je vous donnerai le chien à emporter dans votre pays. Je m'y engage.

— Belle, dit le chevalier, alors je logerai volontiers chez vous aux conditions que vous dites.

Il s'arrête et descend de cheval. La pucelle s'habille aussitôt et celle qui était avec elle lui amène une mule richement harnachée, bien sellée, avec pour elle-même un palefroi comme n'en eut de meilleur ni comte ni roi. Guingamor suit la pucelle ; après l'avoir soulevée pour la mettre en selle, il monte à cheval et prend les rênes. Il la regarde plusieurs fois, la joie au cœur, la trouve belle, élancée, séduisante, et souhaite qu'elle l'aime et devienne son amie.

doucement la regarde et prie
que s'amor li doint et otroit.
Onques mes n'ot le cuer destroit
495 por nule fame qu'il veïst,
ne d'amor garde ne se prist.
Cele fu sage et bien aprise,
Guingamor respont en tel guise
qu'ele l'amera volentiers,
500 dont ot joie li chevaliers.
Puis que l'amor fu ostroiee,
acolee l'a et besiee.
La meschine en ala devant,
el palés vint esperonnant
505 ou Guingamor avoit esté ;
molt l'a richement atorné.
Les chevaliers a fet monter
et encontre lor dame aler
por son ami qu'ele amenot ;
510 tex .III.C. ou plus en i ot,
n'i ot celui n'eüst vestu
blïaut de soie a or batu ;
chascuns de ceus menoit s'amie,
molt ert bele la compaingnie.
515 Vallez i ot a espreviers,
o biaus ostors, sors et muiers,
el palés en ot autretant,
as tables, as eschés jouant.
Qant Guingamor fu descenduz,
520 les .X. chevaliers a veüz
qui perdu erent de sa terre,
qui le sengler alerent querre.
Tuit sont encontre lui levé,
a grant joie l'ont salué
525 et Guingamor les a besiez.
Molt fut la nuit bien herbergiez ;

Il fixe sur elle de doux regards et la prie de lui
accorder son amour : jamais il n'avait eu le cœur
troublé pour une femme, ni n'avait songé à l'amour.
Elle était sage et bien éduquée. Elle répond à Guingamor qu'elle l'aimera volontiers, ce qui emplit de joie
le chevalier. Assuré de son amour, il l'étreint et l'embrasse. Prenant les devants, la suivante arrive en
piquant de deux au palais où avait été Guingamor et
le fait somptueusement décorer. Elle fait monter les
chevaliers et les envoie à la rencontre de leur dame en
l'honneur de l'ami qu'elle amène. Il y en avait trois
cents ou plus, tous vêtus d'un bliaut de soie brodée
d'or. Chacun d'eux amenait son amie : c'était une
belle compagnie. Il y avait des jeunes gens portant des
éperviers, de beaux autours fauves et mués, et autant
dans le palais qui jouaient au trictrac et aux échecs.

Quand Guingamor mit pied à terre, il vit les dix
chevaliers de son pays, les chasseurs du sanglier qu'on
croyait perdus. Tous se levèrent en sa présence, le
saluèrent dans la joie et Guingamor leur donna un
baiser. Il eut cette nuit un confortable logis,

bons mengiers ot a grant plenté,
o grant deduit, o grant fierté,
sons de herpes et de vïeles,
530 chans de vallez et de puceles,
grant merveille ot de la noblece,
de la biauté, de la richesce.
N'i cuida que .II. jors ester
et au tierz s'en cuida raler,
535 son chien et son porc volt avoir
et son oncle fere savoir
l'aventure qu'il ot veüe,
puis reperera a sa drue.
Autrement li fu trestorné
540 car .III.C. anz i ot esté.
Mors fu li rois et sa mesnie
et toz iceus de sa lingnie
et les citez qu'il ot veües
furent destruites et cheües.
545   Guingamor a le congié pris
de reperier en son païs,
le porc et son brachet requist
a s'amie, qu'el li rendist.
— Amis, fet ele, vos l'avrez,
550 mes por noient vos en irez,
.III.C. anz a, si sont passé,
que vos avez ici esté.
Mors est vostre oncles et sa gent,
n'i avez ami ne parent.
555 Une chose vos di ge bien :
n'i a honme si ancïen
qui vos en sache riens conter,
tant n'en savrïez demander.
— Dame, fet il, ne puis pas croire
560 que ceste parole soit voire,
et s'ainsi est con dit avez,

des mets succulents en abondance, de nombreux divertissements sans vulgarité, des sons de harpes et de vielles, des chants de damoiseaux et de pucelles. Il était émerveillé de toute cette noble et fastueuse beauté. Il avait l'intention de n'y rester que deux jours et de s'en aller le troisième pour retrouver son chien et son sanglier et pour faire savoir à son oncle l'aventure qu'il avait vécue ; après quoi il reviendrait chez son amie.

Il en fut tout autrement : il y resta trois cents ans. Le roi était mort, ainsi que les gens de sa maison et ceux de son lignage ; les cités que Guingamor avait connues étaient détruites, en ruine. Guingamor demanda la permission de rentrer dans son pays, il pria son amie de lui rendre le chien et le sanglier.

— Ami, fit-elle, vous les aurez, mais votre départ serait une folie : il y a trois cents ans révolus que vous avez été ici. Votre oncle et ses gens sont morts, vous n'avez plus amis ni parents. Il faut que je vous dise une chose : il n'est pas d'homme assez vieux pour pouvoir répondre quoi que ce soit à toutes vos questions.

— Dame, dit-il, je ne puis croire que tout cela soit vrai et si ce l'est,

```
            tost iere ariere retornez.
            Ci revendrai, je vos afi. »
            Ele li dist : « Je vos chasti,
565   qant la riviere avrez passee
            por raler en vostre contree,
            que ne bevez ne ne mengiez
            por nule fain que vos aiez,
            desi que serez reperiez :
570   tost en serïez engingniez. »
            Son cheval li fet amener
            et le grant sengler aporter,
            aprés li a rendu son chien,
            rendu li a par le lïen.
575   Il prist la teste du sengler,
            n'en pooit mie plus porter.
            El cheval monte, si s'en va,
            et s'amie le convoia,
            a la riviere l'a mené,
580   s'est el batel outre passé,
            a Dieu l'a conmandé, sel let.
            Le chevalier avant s'en vet,
            le jor erra jusq'a midi,
            de la forest onques n'issi.
585   Tant la vit laide et haut creüe
            que toute l'a desconneüe.
            Loing sor senestre oï taillier
            a sa coingnie .I. charpentier,
            son feu fesoit et son charbon.
590   Cele part vint a esperon,
            le povre honme avoit salué,
            enquis li a et demandé
            ou li rois ses oncles estoit
            et a quel chastel i manoit.
595   Li charboniers respont briément :
            — Par foi, sire, n'en sai noient.
```

je m'en retournerai tout de suite et je reviendrai ici, je
vous l'assure.

— Je vous avertis, dit-elle : quand vous aurez
franchi la rivière pour revenir dans votre pays, ne
buvez pas, ne mangez pas, si grande soit votre faim,
jusqu'à votre retour ici ; vous seriez frappé d'un sorti-
lège.

Elle lui fait amener son cheval et apporter le grand
sanglier, lui rend son chien par la laisse. Il prend la
tête du sanglier, ne pouvant en porter davantage,
monte à cheval et s'en va. Son amie l'accompagne
jusqu'à la rivière qu'il traverse en bateau, le
recommande à Dieu et le laisse.

Le chevalier poursuit sa route, chemine jusqu'à
midi sans sortir de la forêt. Il la voit si laide, si éche-
velée en hauteur qu'il ne la reconnaît plus. Au loin,
sur sa gauche, il entend un charbonnier qui coupe des
arbres avec sa cognée, en train de faire son feu et son
charbon. Il éperonne son cheval dans cette direction,
salue le pauvre homme et lui demande où est le roi,
son oncle, et dans quel château il réside.

— Ma foi, seigneur, répond le charbonnier, je n'en
sais rien.

Icil rois dont vos demandez
plus a de .III.C. anz passez
que il morut, mien esciënt,
600 et tuit si honmë et sa gent.
Et les corz que avez nomees
sont grant tens a totes gastees.
Tex i a de la vielle gent
qui racontent assez sovent
605 de ce roi et de son neveu
que il avoit merveilles preu ;
dedenz ceste forez chaça,
mais onques puis ne retorna. »
Guingamor oï ce qu'il dit,
610 merveilleuse pitié l'em prist
du roi qu'il ot ainsi perdu.
Au charbonier a respondu :
— Entent a moi, ce que dirai,
m'aventure reconterai.
615 Ce sui je qui alai chacier,
ariere cuidai reperier
et aporter le grant sengler. »
Dont li conmença a conter
du palés qu'il avoit trové
620 et conment ot dedenz esté,
de la pucele qu'il trova,
conment ele le herberga
.II. jors entiers, « puis m'en parti,
mon porc et mon chien me rendi. »
625 La teste du porc li donna,
et a garder li conmanda
tant q'a sa meson revenist,
et as genz du païs deïst
conme il avoit a lui parlé.
630 Li povres hon l'a mercië,
Guingamor prent de lui congié,

Le roi dont vous me parlez est mort, que je sache, il y
a plus de trois cents ans, ainsi que tous ses sujets et
tous ses gens. Quant au château que vous me
nommez, il y a bien longtemps qu'il est en ruine. Il y
a encore des anciens qui parlent souvent de ce roi et
de son neveu qui était d'une étonnante bravoure. Ce
neveu chassa dans cette forêt et n'en revint jamais.

En entendant ces paroles, Guingamor fut pris d'une
immense pitié pour le roi qu'il avait ainsi perdu.

— Fais attention à ce que je vais te dire, dit-il au
charbonnier. Je vais te raconter mon aventure : c'est
moi qui étais allé chasser et je croyais revenir en
apportant le grand sanglier.

Et il se mit à lui parler du palais qu'il avait trouvé,
à lui dire comment il y était entré, comment la pucelle
qu'il rencontra l'avait hébergé deux jours entiers,
« alors je partis et elle me rendit mon sanglier et mon
chien ». Il donna la tête du sanglier au charbonnier, lui
recommanda de la garder jusqu'à son retour chez lui
et de faire part aux gens du pays de ses révélations. Le
pauvre homme le remercia. Guingamor prit congé de
lui,

ariere vient, si l'a lessié.
Ja estoit bien nonne passee,
li jors torna a la vespree,
635 si grant fain prist au chevalier
qu'il se cuida vif enragier.
Let le chemin que il erra,
.I. pomier sauvage trova,
de grosses pomes fu chargiez.
640 Il est cele part aprouchiez,
trois en a prises, ses menja.
De ce fist mal, qu'il oublïa
ce que s'amie ot conmandé.
Si tost conme il en ot gouté,
645 tost fu desfez et envielliz,
et de son cors si afoibliz
que du cheval l'estut chëoir,
ne pot ne pié ne main movoir.
Foiblement, qant il pot parler,
650 se conmença a dementer.
Li charboniers l'avoit seü,
bien voit con li est avenu,
ne cuidoit mie au sien espoir
qu'il peüst vivre jusq'au soir.
655 Vers lui voloit aler avant ;
deus damoiseles voit errant,
de riche ator et bien vestues,
lez Guingamor sont descendues.
Molt blamerent le chevalier,
660 et conmencent a reprouchier
le conmandement trespassé,
que mauvesement l'a gardé.
Belement et souëf l'ont pris,
si l'ont sor .I. cheval asis,
665 a la riviere le menerent,
en .I. bastel outre passerent

le laissa et partit.

On avait déjà dépassé none, à l'approche du soir. Le chevalier fut pris d'une faim si impérieuse qu'il pensa en devenir fou. Au bord du chemin il trouva un pommier sauvage chargé de grosses pommes. Il s'en approcha, en prit trois et les mangea. Mal lui en prit d'oublier la recommandation de son amie ; à peine en avait-il goûté qu'il devint vieux et décrépi, si affaibli physiquement qu'il tomba du haut de son cheval, sans pouvoir bouger le pied ni la main. D'une voix faible, quand il eut retrouvé l'usage de la parole, il se mit à se lamenter. Le charbonnier qui l'avait suivi assista à ce qui lui arrivait et pensa qu'il ne vivrait pas jusqu'au soir. Il voulut aller à lui, lorsqu'il vit arriver deux demoiselles, bien vêtues, en riches atours, qui descendirent de cheval près de Guingamor. Elles blâmèrent en termes vifs le chevalier, lui reprochant d'avoir violé les ordres qu'il avait mal observés. Elles le prirent doucement, avec soin, l'assirent sur un cheval, le menèrent à la rivière et le passèrent en bateau

son brachet et son chacëor.
Li vilains se mist el retor,
a son ostel la nuit ala,
670 la teste du sengler porta.
Par trestout conte l'aventure,
par serement l'aferme et jure,
et au roi presenta la teste,
mostrer la fet a mainte feste.
675 Por l'aventure reconter
en fist li rois .I. lai trover ;
de Guingamor retint le non,
einsi l'apelent li Breton.

avec le chien et le cheval.

Le vilain retourna chez lui à la nuit, emportant la tête du sanglier. Il raconta partout l'aventure, affirmant sous serment qu'elle était vraie. Il présenta la tête au roi qui la fit montrer à maintes fêtes. Pour perpétuer le souvenir de l'aventure, le roi fit composer un lai en gardant le nom de Guingamor. C'est ainsi que l'appellent les Bretons.

LE LAI DE DESIRÉ

LAI DE DÉSIRÉ

Entente i mettrai e ma cure
a recunter un aventure
dunt cil qui a cel tens vesquirent
par remembrancë un lai firent.
5   Ço est li lais del Dessiré
ki tant par fu de grant beuté.
En Escoce a une cuntree
ki Calatir est apellee,
encoste de la Blanche Lande
10 juste la mer ki tant est grande.
Iluec est la neire chapele
dunt l'en cunte, ki mut est bele.
Un vavasur i out jadis,
mut fu preisez en sun païs ;
15 tant de terre cum il aveit
del rei d'Eschoce en chef teneit.
Feme aveit solunc sun parage,
assez l'amot, kë ele ert sage.
De ce lur est mesavenu
20 k'ensemble n'unt enfant eü ;
a merveilles en sunt dolent
e a Deu priënt mut sovent,
par sa pité les confortast
ke fiz ou file lur donast.
25 Une nuit jurent en lur lit,
la damë a sun seignur dit :
« Sire, je ai oï parler
k'en Provence, dela la mer,
ad un cors seint mut glorius ;
30 dames i vunt od lur espus ;
nul nel requert pur tel bosoing,
quel quë il seit ou pres ou loing,
ke sa requeste ne li face ;
de Deu en ad ottrei e grace
35 nomeement d'aver enfant.

Je mettrai mon application et mes soins à raconter une aventure donc ceux qui vécurent à cette époque firent un lai pour en garder le souvenir. C'est le lai de Désiré, un jeune homme de grande beauté.

Il y avait en Ecosse une contrée qu'on appelle Calatir[1], près de la Blanche Lande, en bordure de la vaste mer. C'est là qu'est la Noire Chapelle, fort belle, dont il est question dans cette histoire. Il y avait jadis un vavasseur[2] très estimé en son pays. Il tenait toute la terre, comme vassal du roi d'Ecosse. Il avait une femme de même noblesse que lui, il l'aimait passionnément, car elle était pleine de sagesse. Malheureusement ils n'avaient pas d'enfants, ils en souffraient beaucoup et demandaient souvent à Dieu dans leurs prières d'avoir pitié d'eux, de les consoler et de leur donner un fils ou une fille.

Une nuit qu'ils étaient couchés dans leur lit, la dame dit à son époux :

— Seigneur, j'ai entendu dire qu'en Provence, au-delà de la mer, il y a les reliques d'un saint célèbre ; les dames y vont avec leur mari. Personne, venu de près ou de loin, ne l'implore en tel besoin sans obtenir l'accomplissement de sa prière : il a reçu de Dieu la grâce d'accorder des enfants.

---

1. *Calatir* a été identifié avec la région de Calatria en Ecosse.
2. *vavasseur :* homme de petite noblesse, vassal de vassal ou sous-vassal, souvent peu fortuné, qui vit modestement sur ses terres. Les vavasseurs ne fréquentent pas les tournois.

Jo ai al quer pesance grant.
Sire, ke nus apareilums,
passum la mer e s'i alums. »
Li sire li ad ben otrié,
40 pus unt lur eire aparellé.
Sanz demorance passent la mer,
a saint Gile vunt pur orer.
Un ymage tote d'argent,
sis marz i out, men essïent,
45 sur un alter le presenterent,
fiz ou file lui demanderent.
Quant fait aveient lur preiere,
en lur païs s'en wunt arere.
La damë est d'un fiz enseintee
50 ainz qu'a mesun seit repeiree.
Li sire en est joius e lez,
il ne fud unkes si haitez,
ja si fud tut sun parentez.
Al terme qui lur fiz fud nez
55 apeler le funt Desiré,
pur ço que tant unt demoré
kë il enfant n'urent eü,
ore ad seint Gile fet vertu.
Lur fiz nurirent e guarderent
60 cum celui quë il mut amerent ;
beus fu de cors et de visage.
Quant il est venuz en eage
ki d'eus li poeient departir,
s'il l'enveient le rei servir.
65 De bois e de rivere aprist
e volunters s'en entremist.
Li reis l'ama e tint mut cher,
pus l'adoba a chevaler.
Quant chevaler fu Desirez,
70 hastivement est mer passez ;

J'ai grande tristesse en mon cœur. Seigneur, prépa-
rons-nous, passons la mer et allons-y.

L'époux approuva le projet et ils préparèrent leur
voyage. Sans tarder ils passèrent la mer et allèrent à
Saint-Gilles[1] prier le saint. Ils présentèrent sur un
autel une statue d'argent d'une valeur de six marcs[2]
en demandant au saint un fils ou une fille. Leur prière
faite, ils retournèrent dans leur pays. La dame devint
enceinte d'un fils avant même son retour à la maison.
Son mari en était tout heureux, il ne fut jamais si
joyeux, ainsi que toute sa parenté.

A la naissance de leur fils, ils l'appelèrent Désiré,
pour avoir si longtemps attendu cet enfant. Saint
Gilles avait fait un miracle. Ils élevèrent et choyèrent
leur fils qui était l'objet de toute leur affection ; il était
beau de corps et de visage. Quand il fut en âge de
quitter la maison, ils l'envoyèrent servir le roi. Il apprit
et pratiqua l'art de la chasse en forêt et au gibier
d'eau. Le roi l'aima et le chérit, puis l'adouba[3] chevalier.

Quand Désiré fut chevalier, il passa sans tarder la
mer,

1. *Saint-Gilles* : Saint-Gilles du Gard, sanctuaire et lieu de pèlerinage célèbres sur la route de Saint-Jacques de Compostelle.
2. *marcs* : le marc sert d'unité comme monnaie de compte ; c'est
le poids d'une demi-livre ou huit onces d'or ou d'argent. L'once est
la seizième partie de la livre de Paris.
3. *adouba* : l'adoubement est la cérémonie rituelle par laquelle un
jeune noble est fait chevalier ; il y reçoit son épée.

en Normendie conversa
e en Bretaine turneia.
Des Franceis fu mut alosez
e de tuz altres gens amez ;
75 dunc ert chevalerie en pris.
S'uns chevaler d'autre païs
alast ailurs pur sun pris quere,
ou a turnement ou a guere,
n'ert mië en travers feruz,
80 ne de ses compaignuns vendus.
Dis anz i esteit Desirez
k'il n'est arere returnez.
Mut le fit ben, mut s'avança,
deci que li reis li manda.
85 En sa cuntree en est venuz,
mut fu del rei ben receüz,
mut le tint cher pur sa valur
e mut li porta grant honur.
Pruz fu e de mut grant beuté,
90 tote gent loënt Desiré.
Unques nel pot del rei partir,
fors sulement a Calatir ;
par le mandement de sun pere
esteit alez veer sa mere.
95 Ce fu en l'entrée d'esté ;
al quart jor qu'il out sojorné,
par un matin s'esteit levez,
ben s'est vestuz e aturnez,
chausez s'esteit mut richement
100 cumë a chevaler apent,
braiz, chemisë ot de chensil
plus blans que n'est flur en avril ;
d'un mantel vert ert afublez,
ses esporuns ad demandez,
105 sun bon cheval fet demander,

il séjourna en Normandie et fréquenta les tournois en Bretagne, estimé des Français et aimé de tout le monde. La chevalerie était alors en honneur. Si un chevalier étranger quittait son pays pour conquérir la gloire aux tournois ou à la guerre, il n'était pas roué de coups ni rançonné par ses compagnons. Désiré y demeura dix ans avant de rentrer dans son pays. Il se distingua, acquit du renom, jusqu'à ce que le roi le mandât. Il arriva dans son pays, bien accueilli par le roi qui l'estimait pour sa valeur et le traita avec de grands égards. Il était brave et beau, tout le monde faisait son éloge. Il ne quittait le roi que pour aller à Calatir, quand son père l'invitait à aller voir sa mère.

Au début d'un été, trois jours après son arrivée, il se leva de bon matin, s'habilla et s'équipa, richement chaussé, comme il convient à un chevalier, avec braies[1], chemise de lin plus blanche qu'une fleur d'avril, revêtu d'un manteau vert. Il demanda ses éperons et fit venir son bon cheval :

1. *braies* : sorte de culotte, intermédiaire entre le caleçon et le pantalon.

       pur sei deduire volt munter.
       Li cheval fu e beus e grantz,
       mut par fud genz e avenanz
       de cors, de vis e de facun ;
110   n'out en lui nule mesprisiun.
       Il est munté sur sun destrer
       mut out en lui bon chevaler ;
       beles gambes ot e beus pez.
       Sur ses estruiz s'est apuiez,
115   des esperuns point le cheval
       tote la vile contreval ;
       sanz compaignun s'en est issus,
       vers la Blanche Lande venuz.
       Les arbres veit beus e floriz,
120   e des oiseus oït les criz.
       Li sanc li remut e tressaut,
       li corages li munte en haut,
       grant delit ad d'oïr le chant ;
       en la forest se met avant.
125   Dedenz la lande enz el boscage
       ot un seinz hom sun hermitage ;
       Desiré le soleit veer
       e de sun fruit sovent aver
       en s'unfance quant il chaçout
130   e od sun pere trespassout.
       Purpensez s'est qu'il i irra
       si le trove, sil parlera
       Quant il erra vers la chapele,
       garda, si vit une peucele
135   vestue d'une purpre bise
       e d'une mut bele chemise.
       La colur ot blanche e rovente,
       e de cors fu ben faite e gente ;
       sanz guimple esteit echevelee
140   e nu pez feu pur la rosee.

il avait envie de monter pour se détendre. Le cheval était beau et fort, parfait de corps, de tête et d'allure, hors de tout reproche. Désiré monta sur le destrier, en bon cavalier qu'il était ; il avait de belles jambes et de beaux pieds. Prenant appui sur ses étriers, il piqua des deux et descendit vers la ville. Sans compagnons, il en sortit et se dirigea vers la Blanche Lande, il vit les arbres en fleurs, entendit le chant des oiseaux. Son sang se mit à battre plus fort, un désir montait en lui, il se délectait à écouter ces chants. Il entra dans la forêt.

Sur la lande, dans un petit bois, un saint homme avait établi son ermitage. Désiré venait souvent le voir et goûter de ses fruits, quand dans son enfance il chassait avec son père et passait par là. L'idée lui vint d'aller le voir et de lui parler, s'il le trouvait. Tandis qu'il chevauchait vers la chapelle, il regarda et aperçut une pucelle[1] vêtue d'une étoffe grise et d'une fort belle chemise. Son teint était blanc et rose, elle était bien faite et avenante, sans guimpe[2], les cheveux au vent, pieds nus pour profiter de la rosée.

1. *pucelle* : jeune fille en général, mais le terme est plus spécialement employé pour les demoiselles de compagnie d'une reine ou d'une dame noble.
2. *guimpe* : coiffure de femme faite d'une pièce de toile blanche qui couvre les cheveux et une partie du visage.

A une funteine veneit
ke suz un grant arbre surdeit ;
dous bacins d'or tint en ses meins.
Li chevalers n'ert pas vileins ;
145 a pié desent, si l'a saisie,
il en vodra fere s'amie ;
sur la freche herbe l'ad cochee,
jo quid qu'il l'eüst asprisvée
quant ele li cria merci :
150 — Chevalers, tollez vus de ci ;
ne serrez gairez avancez
si de mun cors me honitez.
N'i faites nule mesprisiun,
leissez m'estre pur gueredon.
155 Jo sui od une damaisele,
el secle n'at nule si bele.
Jo la vus ferai ja veer ;
si vus estes de tel poer
gardez qu'el ne vus eschap mie
160 pur nule ren k'ele vus die.
Si de li estes ben amez,
pur neent seriez esgarrez ;
assez avrez or e argent
tut a vostre comandement.
165 Ne guidez pas que jo vus mente,
e si ce ne vus atalente,
a mei ne poez vus faillir ;
jo ferai tut voste pleisir.
Tu aseür seiez de mei ;
170 jo vus afi la meie fei,
aiderai vus a grant bosoing,
ou seit de pres ou seit de loing. »
Quant Desirez l'oï parler,
si la leissa atant ester.
175 La meschine l'ameine dreit

Elle allait vers une source qui sortait de terre sous un grand arbre, tenant en ses mains deux bassins d'or.

Le chevalier n'était pas malappris ; il mit pied à terre, saisit la jeune fille pour en faire son amie et la coucha sur l'herbe verte. Je crois qu'il l'aurait fait céder, quand elle implora sa pitié :

— Chevalier, levez-vous de là, vous ne serez guère avancé, si vous faites outrage à mon corps. Ne commettez pas cette faute, laissez-moi me donner librement à vous. J'accompagne une demoiselle, la plus belle en ce monde ; je vous la ferai voir bientôt. Si vous le pouvez, prenez garde qu'elle ne vous échappe pas, quoi qu'elle vous dise. Si vous êtes aimé d'elle, vous ne serez pas perdant, vous aurez en abondance or et argent, autant que vous en souhaiterez. Ne croyez pas que je vous mente ; et si cela ne vous convient pas, vous pouvez compter sur moi : je ferai tout ce qui vous fera plaisir, soyez-en assuré, je vous en donne ma parole. De près ou de loin je vous aiderai en tout besoin.

En l'entendant ainsi parler, Désiré la laisse tranquille. La jeune fille l'amène tout droit

la ou sa damaisele esteit ;
ço fu dedenz une foillee.
Sur un bon lit s'ert apuiee ;
la coilte fu a eschekers
180 de deus pailles ben faiz e chers,
e tut pareit la flur novele.
Devant li sist une pucele.
Cele qui Desiré mena
de loinz s'estut, si l'apella :
185 « Vassal, fet el, regardez ça ;
dedenz cele foilee la
pernez ço ke jo vus pramis.
Veïstes vus unk si bel vis,
si beles meins, ne si beus braz,
190 ne si gent cors vestu a laz,
plus beus chevoils ne plus dulgez
plus assemez ne meuz treciez ?
Unques ne fu si bele nee.
Ben me sui vers vus aquitee ;
195 alez avant, ne dotez ren,
mut ad en vus proesce e ben. »
Desiré l'oi, cele part vet,
sun bon cheval estraier lait.
Quant la pucele l'ad veü,
200 n'i a neent plus atendu ;
fors de la foillee s'en ist
en l'espesce del bois se mist.
Desirez s'est alé aprés,
veüe l'ad e sui adés ;
205 mut fu igneus, pas ne se feint,
assez hastivement l'ateint ;
par la mein destre la saisi,
avenantment parole a li ;
« Bele, fait il, parlez a mei,
210 pur quei fuiez a tel deffrei ?

à sa demoiselle dans une loge de feuillage. Elle était
accoudée sur un bon lit ; la couverture faite de deux
étoffes de soie précieuses était à carreaux, parsemée de
fleurs nouvelles. Devant elle était assise une pucelle.
Celle qui amenait Désiré s'arrêta à quelque distance.

— Jeune brave, lui dit-elle, regardez là, dans cette
loge de feuillage, prenez ce que je vous ai promis.
Avez-vous jamais vu si beau visage, si belles mains, si
beaux bras, corps si séduisant en ces vêtements à
lacets, plus beaux cheveux, plus fins, mieux parés,
mieux tressés ? Aucune créature ne fut son égale. Je
me suis bien acquittée envers vous. Avancez, ne crai-
gnez rien. Vous êtes vaillant et généreux.

Désiré, à ces mots, va vers la jeune fille et laisse aller
en liberté son bon cheval. Quand la jeune fille l'aperçoit, elle sort, sans attendre, de la loge de feuillage et
se lance dans l'épaisseur de la forêt ; sans la perdre du
regard, Désiré se met à sa poursuite. Il est agile, il ne
ménage pas ses efforts et ne tarde pas à la rejoindre.
La saisissant par la main, il lui adresse courtoisement
la parole :

— Belle, dites-moi, pourquoi fuyez-vous si
effrayée ?

Chevaler sui de cest païs,
vostre hom serrai e vostre amis ;
pur vostre druerie aver
vus servirai a men poeer. »
215 La pucele l'en mercïa,
parfundement li enclina
e dit ke pas nel refusout,
ne sun offre ne dejetout.
Ottriee est la druerie ;
220 il fait de li cum de s'amie.
Une grant pece fu od li,
mut a envis s'en departi.
Mes el li ad doné cungé,
si li ad dit e enseigné
225 ou il pora od li parler
e cum il la pora trover.
— Ami, fet ele, Desirez,
al Calatir vus en irez ;
un anel d'or vus baillerai,
230 e une chose vus dirai :
or vus gardez de meserrer,
si vus penez de ben amer ;
si vus mesfetes de neent
l'anel perdrez hastivement
235 e si ço vus seit avenu
ke vus aiez l'anel perdu,
a tuz jorz mes m'avez perdue
sanz recovrer e sanz veüe.
Gardez ke mut le facez ben,
240 ne vus targez pur mei de ren.
Ainz ke vus eüssez m'amur
futes vus de mut grant valur.
N'est mie dreiz a chevaler
ke pur amur deive empeirer. »
245 L'anel li ad mis en sun dei

Je suis un chevalier de ce pays, je serai votre serviteur et votre ami. Pour avoir votre amour je vous servirai de toutes mes forces.

La jeune fille le remercie, s'incline profondément devant lui, lui assure qu'elle ne le repousse pas et qu'elle ne rejette pas son offre. Elle lui accorde son amour et il fait d'elle sa maîtresse. Il reste un long moment avec elle et ne la quitte qu'à contrecœur, mais avant de lui donner congé, elle lui indique où il pourra lui parler et comment il pourra la retrouver.

— Désiré, mon ami, dit-elle, allez à Calatir, je vais vous donner un anneau d'or et vous dire une chose : gardez-vous de commettre une faute et soyez à moi de tout votre être ; sinon, vous perdrez aussitôt l'anneau et si cela arrive, à tout jamais vous m'aurez perdue, sans retour, sans jamais plus me retrouver ni me voir. Songez à bien agir, soyez scrupuleux à mon égard. Avant d'avoir mon amour, vous étiez d'un grand mérite ; il n'est pas bon qu'un chevalier, parce qu'il aime, soit moins valeureux[1].

Elle lui met l'anneau au doigt,

---

1. *valeureux* : l'amour ne doit pas porter atteinte à la prouesse ; un équilibre est nécessaire entre ces deux valeurs, question abordée, entre autres, par Chrétien de Troyes dans *Erec et Eride* et dans le *Chevalier au lion (Yvain)*.

e il la beise e trait vers sei ;
pus est sur sun cheval muntez,
a sun ostel en est alez.
Mut despendi e mut erra,
250 de nule ren ne se targa ;
plus dona il en un sul meis
k'en demi an ne fit li reis.
En la contree repeirout,
pur s'amie kë il amot ;
255 ensemble parolent sovent,
tant s'entreamerent lungement
kë un fiz e un file en out ;
el ne li dit ne il nel sout.
          Une feiz l'ot li rei mandee
260 fors del païs l'aveit menee
ensemble od lui od grant bosoing,
por osteier merveilles loing.
Quant il esteit en repeiré
Desiré prent del roi congé ;
265 en sa terrë en est alez
a Calatir, ou il fu nez.
La nuit qu'il vint, i sojorna,
e al demain matin leva ;
i est muntez sur sun destrer,
270 si s'est alez esbaneier
vers la Blanche Lande tut dreit
ou s'amie trover soleit.
Tut sul, eissi cum jo vus di,
sur l'ermitage s'enbati
275 ou li seinz hermite maneit
ke li chevalers connisseit.
D'une chose se purpensa,
k'a cel seint home parlera,
si se fera a lui confés ;
280 ne set quant il i vendra mes.

il l'embrasse et l'attire à lui ; puis il monte sur son cheval et regagne son logis.

Il fit force largesses, de nombreux voyages, sans se lasser. Il distribua plus de dons en un seul mois que le roi en une demi-année. Il revenait dans la contrée pour son amie qu'il chérissait. Ils conversaient souvent ensemble et s'aimèrent si longtemps qu'il eut d'elle un fils et une fille ; mais elle n'en dit rien et il ne le sut jamais.

Une fois le roi fit appel à lui et l'emmena hors du pays pour faire la guerre au loin. Sur le chemin du retour Désiré prit congé du roi et s'en alla dans sa terre, à Calatir où il était né. Il y passa la nuit à son arrivée et se leva le lendemain de bon matin. Il monta sur son destrier et pour se divertir, se dirigea tout droit vers la Blanche Lande où il retrouvait à son habitude son amie. Tout seul, comme je vous le dis, il se hâta vers l'ermitage du saint ermite qu'il connaissait. Il avait l'intention de parler à ce saint homme et de se confesser à lui, ne sachant s'il y reviendrait un jour.

La porte ovri, dedenz entra,
en la chapele le trova.
— Sire, fet il, si sui venuz,
confés voil estre e absolus. »
285 Li hermites lui ottreia,
et il s'asist, si li clina ;
ses pecchez li ad descovers
dunt il esteit seür e serz.
De s'amie li regeï,
290 cumë il vint primes a li.
Li hermites li conseilla,
sa penitence li charga.
Quant fut asoluz e seinez,
a sun cheval est repeirez,
295 par l'estru munte e tent le frein,
ses deiz esgarde e pus sa mein ;
n'aveit mie de sun anel,
sachez que pas ne li fu bel.
Ben s'aparceit qu'il ot perdu,
300 unkes mes si dolent ne fu.
D'eluec s'en part, plus n'i esteit ;
hastivement cele part vait
ou s'amie quidout trover,
kë il vodreit a li parler.
305 Trestut le jor i demora
qu'il ne la vit, n'a lui parla.
Quant il ne pot parler a li,
mut par se tint a malbailli.
— Bele amie, fet Desirez,
310 ou estez vus ? Quant me verrez ?
Estez vus corucee a mei ?
Morir m'estut si ne vus vei.
Vostre anelet m'avez tollu,
ben sai que par vus l'ai perdu ;
315 ja mes n'avrai joie ne heit,

Il ouvrit la porte, entra et le trouva dans la chapelle.

— Seigneur, dit-il, me voici. Je désire me confesser et recevoir l'absolution.

L'ermite y consentit. Désiré s'assit, s'inclina devant lui et lui confessa les péchés dont il était sûr et certain. Il lui avoua comment il rencontra pour la première fois son amie. L'ermite lui prodigua ses conseils et lui imposa sa pénitence.

Quand il eut reçu l'absolution et fait son signe de la croix, il retourna à son cheval, se mit en selle à l'aide de l'étrier et, tirant sur la bride, regarda ses doigts et sa main : l'anneau n'y était plus. Sachez-le, il en fut désespéré. Il constata, accablé comme jamais, qu'il avait perdu l'anneau. Il partit pour se diriger en toute hâte vers l'endroit où il comptait trouver son amie avec l'intention de lui parler. Il resta là la journée entière sans la voir ni lui parler et il se jugea alors bien malheureux.

— Belle amie, disait-il, où êtes-vous ? Quand me verrez-vous ? Etes-vous en colère contre moi ? Je mourrai, si je ne vous vois pas. Vous m'avez enlevé mon petit anneau, je sais bien que vous me l'avez fait perdre, je n'aurai jamais plus ni joie ni plaisir.

alas ! chetif ! kë ai mesfet ?
Ja vus eim jo sur tote ren ;
certes, ne fetes mie ben.
Li hermites me confessa,
320 unques de vus mal n'i parla,
de mes pecchez requis pardon ;
si jo ai fet ultre raisun,
bele, ne vus en corucez,
ma penitence m'enchargez.
325 Ço ke li hermites me dit
e les enjuines qu'il m'aprit,
a vostre pleisir les lerrai
e vos comandemenz ferai. »
Ne li sout tant merci crier
330 k'ele vousist a li parler ;
mut est dolent en sun corage,
durement maldit l'ermitage
e l'ermite qu'il i trova
e la buche dunt il parla,
335 tuz ceus ke consenti li unt,
ni ki jamés i parlerunt.
Quant veit que ne li ad mester,
arere l'estut repeirer ;
a Calatir s'en vait arere.
340 Mut est dolenz de grant manere,
del dul qu'il ad s'en pesanti,
en poi de tens en maladi ;
sa grant joie met en tristur,
e sis chanz est turnez a plur.
345 Un an enter e plus langui,
trestuz le tenent a peri.
Tuz diseient qu'il se moreit,
e il meïmes le diseit.
Al chef de l'an qu'il out jeü,
350 oiez cum il est avenu :

Hélas ! Malheureux que je suis ! Où est ma faute ? Je vous aime par-dessus tout. Vraiment vous agissez mal ! L'ermite m'a confessé, à aucun moment il n'a dit du mal de vous ; je lui ai demandé le pardon de mes péchés. Si ce que j'ai fait est déraisonnable, belle, ne vous en courroucez pas, imposez-moi une pénitence. Les injonctions, les jeûnes imposés par l'ermite, je les oublierai pour vous faire plaisir et je vous obéirai en tout.

Il eut beau la supplier, elle refusa de lui parler. Au désespoir, il maudit vivement l'ermitage et l'ermite qu'il y avait trouvé, la bouche qui lui avait parlé, tous ceux qui s'étaient confessés et qui se confesseraient à lui. Voyant ses plaintes vaines, il se résigna au retour et revint à Calatir. Sa souffrance était profonde, elle l'accablait de son poids et bientôt il tomba malade. Sa belle joie se changea en tristesse, son chant en larmes. Il languit une année entière, et davantage. Tout le monde le voyait perdu et disait qu'il se mourait.

Au terme de l'année pendant laquelle il resta alité, apprenez ce qui lui arriva.

un jor le leisserent dormant
si esquier e si sergant ;
tuz sunt alé esbaneier,
ke ne l'osouent esveiller.
355 Quant il aveit assez dormi,
esveilla sei e esperi.
D'une chose s'esmerveilla :
Ke suls esteit, mut li pesa.
Si cum il ert en tel ennui,
360 s'amie vint parler a lui.
Il la conuit e esgarda ;
de la joie quë il en a
sur sun cute s'apuie al lit.
Ele l'apele, si li dit :
365 « Desirez, tu ies malbailliz,
tut afolez e tut periz.
Purquei morez tut a essient ?
Efforce tei, ne vaut neent.
Si jo t'ai lungement haï,
370 certes, tu l'ad ben deservi ;
tu te fesis de mei confés,
si ne reçoveras ja mes.
Esteiez tu de mei chargez ?
Ço ne fu pas si grant pecchez ;
375 jo ne fu unques espusee,
ne fiancee ne juree,
ne tu femme espusee n'as,
unques nule n'en afias.
Quant tu confessïun quereies
380 ben sai ke de mei partireies.
Ke valt li pecchez a geïr
deci ke hom le voille guerpir ?
Soventes fez as tu doté
ke jo t'eüsse enfantesmé ;
385 n'aies tu ja de ce regard,

Un jour son écuyer et ses serviteurs le laissèrent en
train de dormir : ils allaient s'ébattre et n'osaient pas
le réveiller. Après un long sommeil il se réveilla et
reprit conscience. Il s'étonna d'être tout seul et en fut
fâché. Tandis qu'il était si contrarié, son amie vint lui
parler, il la regarda et la reconnut ; de la joie qu'il en
éprouva il s'appuya du coude sur son lit. Elle lui
adressa la parole :

— Désiré, lui dit-elle, tu es malheureux, à bout de
forces, presque mort. Pourquoi mourir sans réagir ?
Ressaisis-toi, ta conduite est insensée. Si je t'ai longtemps haï, tu l'as bien mérité : tu as parlé de moi en
confession, faute impardonnable. Etais-je un poids
pour toi ? Ce n'était pas un si grand péché ! Je n'ai
jamais été ta femme, ni ta fiancée, ni ta promise. Tu
n'as pas pris femme, tu ne t'es engagé avec aucune.
Quand tu as demandé à te confesser, je savais que ce
serait notre séparation. A quoi sert d'avouer un péché
sans la ferme résolution d'y renoncer ? Souvent tu as
eu peur que je ne t'aie ensorcelé ! Garde-toi de le
croire,

ne sui mie de male part.
Quant vus irrez desk'a muster
la messe oïr e Deu preier,
delé vus me verrez ester
390 e le pain beneït user.
Mut avez vers mei meserré ;
pur ço ki tant vus ai amé
vus voil faire tant de retur :
veer me porrez chascun jor,
395 ensemble od mei rire e juer.
Leissez vostre dolur ester,
mes ja certes plus n'i avrez,
ne confessïun n'en querrez. »
Li chevalers li respundi :
400 « Bele amie, vostre merci.
De tant cum vus me confortez,
sui jo garriz e trespassez.
Unques de ren n'oi si grant hait. »
Il la beisë ; atant s'en vait,
405 e il remeint joius e lez ;
tut est gariz, tost est haitez,
pur la joie quë il atent
est trespassé de grant turment.
Quant il vait al muster orer,
410 s'amie vait lez lui ester
e le pain beneït manger
e la croiz fere e lui seigner ;
a li parole asez sovent.
Trespassé est, nul mal ne sent,
415 eire e despent si cum il fit
ainz que s'amie le haïst.
Li rais l'aime par grant amur,
ne part de lui ne nuit ne jor.
Une feze alerent chacer,
420 en la forest esbaneier,

je ne suis pas de maudite origine. Quand tu iras à l'église entendre la messe et prier Dieu, tu me verras à tes côtés manger le pain béni. Tu as commis une grave faute envers moi, mais parce que je t'ai tant aimé, je veux revenir un peu sur ma décision : tu pourras me voir chaque jour, rire et te divertir avec moi. Abandonne ta douleur, mais tu n'obtiendras pas davantage et ne va pas encore te confesser.

— Belle amie, répondit le chevalier, merci. Puisque vous m'apportez cette consolation, je suis guéri et je reprends courage. Rien ne m'a jamais causé tant de joie.

Il l'embrassa, puis s'en alla, transporté d'allégresse. Il était tout à fait guéri, réconforté et délivré de son grand tourment à la pensée du bonheur qu'il attendait. Quand il allait prier à l'église, son amie allait se placer près de lui, elle mangeait le pain béni et faisait avec lui le signe de la croix. Il lui adressait fréquemment la parole ; il ne sentait plus aucun mal. Il voyagea et dépensa comme il le faisait avant d'encourir la haine de son amie. Le roi l'aimait d'une grande affection et ne le quittait ni jour ni nuit.

Ils allèrent une fois à la chasse se divertir dans la forêt.

arcs e seetes funt porter,
as aceintes volent berser.
Entre le rei e Desiré
lez un grant fust sunt aresté,
425 a un grant serf anbedui traient ;
il ne l'oscïent ne ne plaient.
Lur setes pres dë eus chaïrent
desur l'erbe, si qu'il les virent.
Mut se teneient a escharni
430 de ço qu'il aveient failli ;
lur arcs gettent e funt destendre ;
lur seetes voleient prendre
la ou il les virent chaïr ;
ne purent trover ne veïr.
435 — Deu ! dit li reis a Desiré,
nus sumes tut enfantesmé.
Nos seetes chaïrent ci
devant mes oilz, si que je cui.
Or n'en poüms nule trover ;
440 grant merveille nus deit sembler. »
Quant il alouent si parlant,
devant els virent un enfant ;
genz ert e grant e ben creüz,
d'une cote ert estreit vestuz
445 d'escarlette tote vermeile ;
si fu beus e granz a merveille.
Li chef ad bel recercellé,
le vis treitiz e coluré ;
les seetes tint en ses meins,
450 de parler ne fu pas vilains.
Tut premerain le rei salue ;
sa seete li ad rendue,
a Desiré la sue rent,
a lui parla mut bonement.
455 — Sire, fet il, tu ies mes pere,

Ils firent apporter des arcs et des flèches pour tirer à l'arc sous les enceintes du château. Tous deux s'arrêtèrent près d'un grand arbre et visèrent un énorme cerf, mais ils ne le tuèrent pas et ne le blessèrent pas : leurs flèches tombaient sur l'herbe à leurs côtés, sous leurs yeux. Dépités d'avoir manqué leur coup, ils jetèrent leurs arcs et les détendirent, pour prendre les flèches là où ils les avaient vus tomber ; mais ils ne trouvèrent rien.

— Mon Dieu ! dit le roi à Désiré, nous sommes ensorcelés ! Nos flèches sont tombées ici, devant nos yeux, j'en suis sûr, et nous ne pouvons pas en trouver une seule ! C'est miraculeux, je pense !

Tandis qu'ils parlaient ainsi, ils virent devant eux un enfant, beau, grand, bien pris, vêtu d'une cotte[1] serrée, en écarlate vermeille ; il était merveilleusement beau et élancé. Sa tête avait de belles boucles, son visage bien dessiné avait de fraîches couleurs. Il tenait les flèches dans ses mains. Son langage n'était pas celui d'un vilain[2]. Le premier, il salua le roi, lui rendit sa flèche et à Désiré la sienne, et s'adressant aimablement à lui :

— Seigneur, dit-il, tu es mon père ;

---

1. *cotte* : sorte de tunique qui se met par-dessus la chemise ou la pelisse et sous le *surcot* et le manteau. C'est un vêtement ordinaire porté par les hommes et les femmes de toutes les classes sociales ; mais les dames et les demoiselles, et parfois les chevaliers, portent plus volontiers le bliaut, plus élégant que la cote.
2. *vilain* : le rustre de campagne, qui s'oppose au courtois. Le terme est nettement péjoratif. Autre sens à la note de la p. 161.

ici m'a enveié ma mere ;
ensemble od vus volt ke jo seie,
ke mes parenz conuise e veie.
Quant tu primes a li parlas
460 en la lande ou tu m'engendras,
un anelet d'or te dona,
pus le perdis : mut te pesa.
Ici l'ai aporté od mei ;
metez le, sire, en vostre dei. »
465 Desirez conut ben l'anel,
il ad saissis le damaisel,
entre ses braz l'estreint e prent,
cil ad beisé cent fez e cent
les oilz, le vis e le mentun.
470 Li reis e tut si cumpaignun
li beiserent demeintenant ;
al vallet funt mut bel semblant.
Al rei reconeut Desirez
ou li vallet fu engendrez.
475 Ensemblë od els l'unt mené,
mut li tenent en grant cherté.
Desirez l'aime e tent si cher,
ne pot ne nuit ne jor leisser.
Quant ot dous meis od li esté
480 e coneü sun parenté,
un jor fu par matin levez,
si s'ert vestuz e aturnez,
sor sun chaceür est muntez ;
devant sun pere esteit alez
485 si cum il veneit del muster,
munter voleit sur un destrer.
— Sire, fet il, entent a mei.
Je veng prendre congé a tei ;
a ma dame m'estut aler
490 jo ne pus mes ci demurer. »

ma mère m'a envoyé ici, elle veut que je soie avec
vous, pour que je connaisse et voie ma famille. Quand
tu lui as parlé pour la première fois dans la lande où tu
m'engendras, elle te donna un petit anneau d'or, tu
l'as perdu ensuite et tu en as eu du chagrin. Je l'ai
apporté ici avec moi. Seigneur, mets-le à ton doigt.

Désiré reconnaît bien l'anneau, il prend le damoiseau et le serre dans ses bras ; il l'embrasse cent et
cent fois, sur les yeux, sur le visage et le menton. Le
roi et tous ses compagnons l'embrassent aussitôt à
leur tour, faisant un chaleureux accueil au garçon.
Désiré raconte au roi où fut engendré l'enfant. Ils
l'emmènent avec eux et l'entourent d'affection. Désiré
l'aime et le chérit tant qu'il ne peut être loin de lui ni
nuit ni jour.

Après deux mois passés avec Désiré, au cours des-
quels il put faire connaissance avec sa famille, le jeune
homme se leva un jour de bon matin, s'habilla, se
prépara, monta sur son cheval et vint à la rencontre de
son père qui revenait de l'église et s'apprêtait à monter
en selle.

— Seigneur, dit-il, écoutez-moi. Je viens prendre
congé de vous, il me faut retourner chez ma dame, je
ne puis plus longtemps rester ici.

— Avoi, beu fiz, fet Desirez,
pur les seinz Deu ne me ociez !
Certes, meuz vodreie morir
ke vus veie de mei partir. »
495 — Sire, fait il, faire l'estut. »
Li cheval point e il se muet,
tuz de galops de li s'en part.
Desirez munte, ki est tart
k'il ait sun fiz aparceü
500 kë il le crent aver perdu.
Sovent l'apele par sun nun,
aprés li vait a esperun,
s'il li prie k'il s'arestast
e k'un petit a li parlast.
505 Mes cil ne l'en ad pas creü,
tant ad sun dreit chemin tenu
qu'il est en la forest entrez.
Tote jor le suit Desirez ;
quant ço vint a l'anutement,
510 li vallez eire durement
e Desiré mut se hasta,
tant que ses bons chevals s'esta,
a un grant arbre c'est hurtez,
arere chet tut reversez.
515 A pé se met, sun cheval meine,
cel jor ot il travail e peine.
Sun fiz deperdi Desirez,
ne set quel part il est turnez.
N'a gueres par le bois alé,
520 un poi sur destre ad esgardé,
suz un cheine lez e foilu,
un feu ad choisi e veü.
Savez quei Desirez quida
quant il le feu vit e trova ?
525 Ki alques riche hom i geüst,

— Oh, cher fils, fait Désiré, par les saints de Dieu, ne me donnez pas la mort. J'aimerais mieux mourir que de vous voir me quitter.

Le jeune homme éperonne son cheval et part au grand galop. Désiré monte en selle, impatient d'apercevoir son fils qu'il craint d'avoir perdu. A plusieurs reprises il l'appelle par son nom, il le poursuit en forçant sa monture, il lui demande de s'arrêter et de lui parler un peu. Mais le garçon ne veut rien savoir, il continue tout droit son chemin et entre dans la forêt. Désiré le suit toute la journée. A la tombée de la nuit, le garçon continue à bride abattue sa course et Désiré se hâte après lui. Mais voici que son cheval s'arrête en se heurtant à un grand arbre et il tombe à terre à la renverse. Il se remet sur ses pieds et tire son cheval ; toute la journée il peine et se fatigue, mais il a perdu la trace de son fils et ne sait de quel côté il est allé.

Il ne s'est guère avancé dans la forêt, quand portant ses regards un peu sur la droite, il aperçoit un feu sous un chêne large et feuillu. Savez-vous ce qu'il pense en le voyant ? Qu'un noble seigneur y campe,

kë el demain chaser deüst
e le jor i eüst chacié,
mes illuec li fut anutié.
A la clarté del feu qu'il veit,
530 cele part vait a grant espleit.
Un neim i trove sulement,
vestu de paille estreitement ;
peivre soudout en un morter,
hastez quisseit sur le bracer
535 d'un sengler parcreü e grant.
Desirez est venu avant,
le neim salue ducement,
mes il ne li respunt neent.
Il leist le peivre e li morter,
540 si curut prendre le destrer ;
a une part l'aveit mené,
pus si li ad le frein osté
e la sele li eslacha,
de la freche herbe li dona.
545 Al chevaler revet arere ;
d'herbe e de junc e de breuere
a une cuche appareillé,
un grant tapi d'ovre entaillé
sur la cuche jeta e mist ;
550 le chevaler ceer i fist.
Mes il ne volt a li parler,
sa peiveré revet souder.
Quant li peivres fu ben temprez,
e li mangers tut aprestez,
555 dous bacins d'or en ses meins prent,
une toaile a son col pent.
Il ad les bacinz coneüz
si tost cume les ad veüz ;
la damaisele les porta
560 k'en la lande primes trova.

qui a chassé dans la journée et qui, devant chasser le
lendemain, passe là la nuit. Guidé par la clarté du feu,
il chevauche promptement vers cet endroit et n'y
trouve qu'un nain[1] vêtu d'une soie étroitement
ajustée, en train de broyer du poivre dans un mortier
et de faire cuire sur des charbons ardents des quartiers
d'un énorme sanglier.

Désiré s'avance, le salue affablement, mais l'autre
ne répond pas ; il laisse le poivre et le mortier, court
prendre le destrier, l'emmène à l'écart, lui ôte le mors,
détache la selle et lui donne de l'herbe fraîche ; puis il
revient auprès du chevalier, prépare une couche
d'herbe, de jonc et de bruyère et la recouvre d'un
grand tapis brodé. Il y fait asseoir le chevalier, mais
sans lui adresser la parole, puis va de nouveau broyer
son poivre. Quand il est bien mélangé et que le repas
est prêt, il prend dans ses mains deux bassins d'or et
attache une serviette à son cou. Au premier coup d'œil
Désiré a reconnu les bassins : ce sont ceux que la
première demoiselle portait, quand il la rencontra sur
la lande.

1. *nain* : le nain est un personnage souvent présent dans les
romans des XIIe et XIIIe siècles et aussi dans la littérature celtique.
C'est un être qui peut être en apparence serviable, mais qui se
révèle le plus souvent fourbe et méchant, comme le nain Frocin du
Tristan de Béroul.

N'en volt al neim fere semblant.
Cil li mit un dobler devant
e la salere e les cutels
e pus aprés dous simenels.
565 En une grant coupe d'or fin
li ad li neims porté le vin,
en un esquële d'argent
li met les hastes en present.
Li chevalers prist un cotel,
570 del lard tailla un grand morsel ;
en la peiveré le moilla,
al neim l'ofri ; il le manga.
Le hanap ad descoverclé,
del vin l'a primes enbeivré ;
575 unkes n'i manga un morsel
ne li donast autre si bel.
Li neims li vit si affeité,
si franc, si bel, si enseigné,
ne se pot mes avant celer
580 ke ne voillë a li parler.
   — Sire chevalers, fait li naims,
n'estes mie fols ne vileins,
ben seiez vus ici venus.
Mes que j'en deie estre batuz,
585 si vus plest, a vus parlerai,
ja defence ne garderai.
Nepurquant jo sui enveiez
encuntre vus, seize haitez,
pur vus herberger e servir ;
590 ben savïum vostre venir. »
Li chevalers li respundi :
« Amis, la vostre grant merci !
ben ait ki vus i enveia,
e ki de tant me reheita ! »
595 Li neims respunt : « C'est vostre amie

Il n'en laisse rien deviner au nain qui dépose devant
lui une nappe, la salière et les couteaux, puis deux
gâteaux de fleur de farine. Dans une grande coupe
d'or fin le nain lui apporte du vin et pose les quartiers
de viande devant lui dans une écuelle d'argent. Le
chevalier prend un couteau et taille un bon morceau
de viande, le trempe dans la sauce au poivre et l'offre
au nain qui le mange. Il enlève le couvercle du hanap
et lui offre à boire, avant de boire lui-même ; il ne
mange pas un morceau sans lui en donner un tout
aussi succulent.

Le nain le trouve bien éduqué, si généreux, si beau,
si courtois qu'il ne peut plus s'empêcher de lui
adresser la parole :

— Seigneur chevalier, dit-il, vous n'êtes fou ni
malappris, soyez le bienvenu ici ! Dussé-je en être
battu, je vous parlerai, si vous le souhaitez, et je trans-
gresserai l'ordre qu'on m'a donné. Je suis envoyé à
votre rencontre, et réjouissez-vous-en, pour vous
fournir un logis et pour vous servir.

— Ami, répond le chevalier, grand merci à vous ! Je
souhaite tout le bien possible à qui vous a envoyé ici et
qui m'a valu ce confort.

— C'est votre amie, répond le nain,

ke vus aime plus ke sa vie.
— M'amie, Deus ! fet Dessirez,
dunc sui jo mut ben assemez.
— Par fei, sire, vus dites ver,
600 ke jo ferrai a mun poer
ke vus porreiz a li parler.
Si vus volez od mei aler,
pres de sa chambre vus metrai
si ke sun lit vus musterai.
605 — Amis, ço di li chevalers,
od vus irrai mut volunters. »
Quant del manger furent levé,
li neims ad mené Desiré
al chastel ou sa dame fu.
610 Deske a la chambre sunt venu,
n'i troverent us ne fenestre,
fors une sule al chef a destre ;
dedens virent cirges ardanz
dunt li clartez esteit mut granz.
615 Enmi la chambre aveit dous liz
ben aturnez e ben garniz ;
dous damaiseles i giseient,
men escïent k'eles dormeient.
Li neims apele Desiré,
620 si li ad tut l'estre mustré.
— Sire, fet il, esgardez ça !
C'é vostre amie ki gist la,
ceo e sa suer de l'autre part ;
entrez laënz, n'aiez regard.
625 Une meschine i troverez,
jo quid ke vus la conustrez.
A chandele cust la pucele
en un blïaud ma damaisele. »
Desirez s'est appareilez,
630 par la fenestrez saut jonz pez ;

qui vous aime plus que sa vie.

— Mon amie, mon Dieu ! fait Désiré. Mais alors il ne me manque rien !

— Ma foi, seigneur, vous avez raison et je ferai tout mon possible pour que vous puissiez lui parler. Si vous voulez venir avec moi, je vous conduirai près de sa chambre et je vous montrerai son lit.

— Ami, dit le chevalier, je vous suivrai bien volontiers.

Quand ils eurent terminé le repas, le nain mena Désiré au château où était sa maîtresse. Ils allèrent jusqu'à la chambre qui n'avait ni porte ni fenêtre, sauf une, à l'extrémité, à droite. Ils virent à l'intérieur des cierges allumés qui répandaient une grande clarté. Dans la chambre il y avait deux lits pourvus de tout ; deux demoiselles y étaient couchées ; à ce que je sache, elles dormaient.

Le nain fit signe à Désiré et lui montra la pièce.

— Seigneur, regardez là ! C'est votre amie qui est couchée, et sa sœur à côté d'elle. Entrez, n'ayez pas peur. Vous trouverez une servante que vous reconnaîtrez, je pense : à la lueur de la chandelle elle coud un bliaut pour ma demoiselle.

Désiré prit son élan, il sauta par la fenêtre à pieds joints,

mes ne s'est mie ben tenuz,
si est devant le lit chaüs,
sur le cousté mut se bleça,
tote la chambre resona.
635 La suer s'amie s'esveilla,
grant poür ot, si s'escria ;
les chevalers ad fait lever
hastivement e els armer.
Cele ki esveillee fu
640 e le blïaud aveit cosu,
li chevaler par la mein prist,
fors l'en ameine, si li dist :
« Sire, le geredon vus rent
ke jo vus oi en covenent.
645 S'en ceste chambre esteiez pris,
mort serïez, jo vus pleviz.
Gardez, pur vostre genterise,
ke jo ne perde mun servise,
se vus ja mes un liu veez
650 ke vus rendre le me pussez,
Sire, ne më oblïez mie.
— Nun frai jo, fet il, bele amie. »
Tant l'ad la pucele amené
k'il aveient le neim trové.
655 Od sa mein le feri al piz.
— Fel feint, dit elë, esbaïz !
purquei ad ço franc hom trahi ?
Alez vus ent, fuiez de ci. »
Cil s'en revunt grant aleüre,
660 a lur feu venent a dreiture.
Desirez se senti bleciez,
sur la cuche s'est apuiez,
mut par se tint a esscharni.
Quant la clarté del jor choisi,
665 la sele estraint e pus munta,

mais il perdit son équilibre et tomba devant le lit, se blessant au côté. Toute la chambre en résonna. La sœur de son amie se réveilla et de peur poussa un cri. Elle fit lever les chevaliers et les fit s'armer en toute hâte. Réveillée aussi, celle qui cousait le bliaut prit le chevalier par la main et le tira au-dehors.

— Seigneur, lui dit-elle, voici la récompense que je vous avais promise[1]. Si vous étiez pris dans cette chambre, vous seriez mort, je vous l'assure. Faites, au nom de votre générosité, que mon bienfait ne soit pas perdu ou, si vous voyez un jour une occasion de me le rendre, seigneur, ne m'oubliez pas.

— Non, dit-il, belle amie.

Sous la conduite de la pucelle, ils finirent tous deux par trouver le nain. Elle lui donna de la main un coup à la poitrine :

— Traître, fripon, pourquoi as-tu trahi cet homme généreux ? Va-t'en, fuis d'ici !

Tous s'en allèrent à vive allure, tout droit jusqu'au feu. Désiré sentait sa blessure, il s'appuya sur la couche et estima qu'on s'était joué de lui. Quand il aperçut la clarté du jour, il empoigna sa selle, monta à cheval

---

1. *la récompense [...] promise* : cette promesse est celle que la demoiselle lui avait faite, lors de sa première rencontre avec elle, de « l'aider en tout besoin ».

en sa contree s'en reva.
Mut fu bleciez sur le cousté
eissi ad lungement esté,
tant ke li reis dut curt tenir
670 a un chastel a Calatir.
A Pentecuste i ad somuns
tuz ses vesins e ses baruns.
Alé i sunt tut li plusur,
si cum il aiment lur seignur.
675 A la feste fu Desirez,
ki mut esteit del rei amez.
Quant del muster furent parti,
e le servise orent oï,
si cum manger deveit li reis,
680 ja ert asis sur le haut deis,
par mi la sale vint errant
sur une mule ben amblant,
une mut riche damaisele
ensemblë od une pucele.
685 Vestues furent richement,
lur dras valent cent marz d'argent ;
dous blanches mules chevacherent,
e dous blancs esprevers porterent.
A merveile les esgarderent
690 li reis e cil ke od lui erent.
Beles esteient sanz mesure
de cors, de vis e de feiture.
Od eles ot un damaisel,
en tut le cecle n'ot si bel.
695 Devant le rei sunt aresté,
l'einznee ad lui rei salué.
— Sire, fet ele, atent a mei :
jo sui venue ci a tei,
ces dous enfanz t'ai amenez.
700 A cest vallet armes donez,

et retourna dans son pays.

Gravement blessé au côté, il resta longtemps en cet état jusqu'au jour où le roi devait tenir sa cour dans un château à Calatir. Il avait convoqué pour la Pentecôte tous ses voisins et ses barons. Beaucoup d'entre eux s'y rendirent par attachement à leur seigneur. Désiré que le roi aimait beaucoup assistait à la fête. Quand ils furent sortis de l'église, après avoir entendu l'office, et que le roi, déjà assis à la table d'apparat, s'apprêtait à manger, arriva soudain dans la salle sur une mule qui allait à l'amble une merveilleuse demoiselle, accompagnée d'une pucelle. Richement vêtues, leurs vêtements valaient cent marcs d'argent. Elles montaient deux mules blanches et portaient deux éperviers blancs.

Le roi et son entourage les regardèrent avec émerveillement ; elles étaient idéalement belles de corps, de visage, de tournure. Avec elles était un damoiseau, le plus beau du monde. Elles s'arrêtèrent devant le roi ; l'aînée le salua.

— Seigneur, dit-elle, prêtez-moi attention. Je viens ici à vous en vous amenant ces deux enfants. Donnez des armes à ce jeune homme

ceste meschine conseillez
si ke honur vus en aiez.
Veritez est jo sui lur mere,
e Desirez, il est lur pere.
705 Volunterz devez conseiller
enfanz a si bon chevaler
e a tel dame cum jo sui.
Mut grand honur vus ai fet hui
ke de ma tere sui meüe
710 e ci a vostre curt venue. »
Li reis dit : « Bele jo l'otrei ;
quanque vus requerez de mei
ferei jo a tut mun poeer.
Desendez, si venez seer,
715 demandez l'eve, e si mangez,
ensemblë od nus deduiez. »
Ele respunt : « Nel ferai pas,
ma requeste primes feras.
Mun ami me fai espuser
720 ke jo l'en voil od mei mener.
Lealment serums assemblé,
od mei vivra tut sun ëé.
Ja n'en quera confessïun,
ne penitence, ne pardon. »
725 Li rei fet armes aporter,
li damaisel volt aduber.
Il meïmes li seint l'espee
e si li dona l'acolee.
De Moreis e de Lëoneis
730 aveit a la feste dous reis ;
Cil li chauçat les esperuns
par grant honur a genuluns.
Quant adubé fu richement,
li reis, oiant tote sa gent,
735 lur dit qu'il prendrat la meschine

et prenez soin de cette jeune fille ; qu'ils soient pour
vous une source d'honneur. La vérité est que je suis
leur mère et Désiré est leur père. Vous devez de bon
cœur veiller sur les enfants d'un si brave chevalier et
de la dame que je suis. Je vous ai fait aujourd'hui un
très grand honneur en venant de ma terre jusqu'à
votre cour.

— Belle, dit le roi, je vous l'accorde, je ferai de tout
mon pouvoir ce que vous me demandez. Descendez,
venez vous asseoir, demandez l'eau[1], mangez, divertis-
sez-vous avec nous.

— Je n'en ferai rien, dit-elle. Vous répondrez
d'abord à mes souhaits. Faites-moi épouser mon ami,
car je veux l'emmener avec moi. Nous serons légiti-
mement unis, il passera avec moi toute son existence
sans avoir besoin de confession, de pénitence ni de
pardon.

Le roi fit apporter des armes pour adouber le
damoiseau. Il lui ceignit lui-même l'épée et lui donna
l'accolade. Le roi du Morois[2] et celui du Leonois[3]
participaient à la fête ; le premier lui chaussa les éperons, comme marque d'honneur, genoux en terre.
Quand il fut richement adoubé, le roi, en présence de
tous ses gens, déclara qu'il épouserait la demoiselle[4] et
qu'elle serait reine,

---

1. *demandez l'eau* : l'usage est d'apporter de l'eau aux convives
dans des bassins, pour qu'ils se lavent les mains avant et après le
repas.
2. *Morois* : le Murray, en Ecosse, souvent cité dans les œuvres
fictives. C'est dans la forêt du Morois que Tristan se réfugie avec
Iseut.
3. *Leonois* : le Lothian, en Ecosse, à l'ouest d'Edimbourg. Tristan
est roi du Leonois.
4. *la demoiselle* : à savoir la fille de Désiré.

e si ferat de lui reïne ;
a suen oes tendrat la pucele,
kë unkes mes ne vit tant bele.
Desirez fu de l'autre part ;
740 mut durement li esteit tart
k'il eüst s'amie espusee,
e k'ele fut illuec donee.
A un muster andous menerent,
e ensemble les espuserent.
745 Quant il esteient repeiré,
la damaisele ad pris cungé ;
en sun païs s'en volt aler,
n'aveit cure de sojurner.
— Muntez, fet ele, Desirez,
750 ensemblë od mei vus irrez.
Ja est vostre fiz adubez,
en ceste terre le lerrez,
e vostre fille est marïee
mut avez fet riche jurnee.
755 Sachez de veir, il revendrunt
pur nus veer, quant il porunt. »
Desirez munte, si s'en va
od s'amie ki l'en mena.
Od li remeist en tel manere
760 ke pus ne repeira arere ;
de returner n'ot il mes cure.
Pur remembrer cest aventure
en aveient un lai trové,
si l'apelerent Desiré.

car il n'en avait jamais vu d'aussi belle. Resté un peu à l'écart, Désiré était impatient de recevoir son amie pour femme.

On les emmena tous les deux à une église et on les maria. Au retour de la cérémonie, la demoiselle prit congé pour regagner son pays, ne désirant pas prolonger son séjour.

— Montez à cheval, Désiré, dit-elle. Venez avec moi. Maintenant votre fils est adoubé, vous le laisserez ici et votre fille est mariée. C'est une belle journée pour vous. Sachez-le, ils reviendront vous voir, quand ils le pourront.

Désiré se mit en selle et partit avec son amie qui l'emmena. Il resta avec elle, sans jamais plus revenir : il n'en éprouvait pas le désir.

Pour perpétuer le souvenir de cette aventure, on en fit un lai qu'on appelle le lai de Désiré.

C'EST LE LAY DE TYDOREL

LAI DE TYDOREL

L'aventure d'un lai nouvel
que l'en apele Tydorel,
vos conterai conme ele avint.
Li sires qui Bretaingne tint
5 e rois en fu par heritage
aprés plusors de son lignage,
en sa jovente, fame prist,
fille a .I. duc, que il requist ;
por sa biauté, por sa franchise,
10 l'a li sires des Bretons prise ;
molt la chierie e ennora,
e ele durement l'ama.
Onques ne fu jalous de li
e cele onques nu deservi.
15 Ensemble furent bien .X. anz
qu'il ne porent avoir enfanz.
Enmi esté, ce m'est avis,
si con dïent cil du païs,
li rois a Nantes sejorna
20 por la forest que il ama.
.I. jor estoit alez chacier
e la roïne esbanoier.
Estoit en .I. vergier entree
aprés mengier de relevee ;
25 dames, puceles i mena,
ensemble o elles sejorna,
molt demenerent grant deduit ;
li plusor ont mengié du fruit.
La roïne s'apesanti
30 soz une ente qu'ele choisi,
desor l'erbe s'estoit couchiee
sor une meschine apuiee.
Se la roïne fu pesanz,
la pucele fu qatre tanz ;
35 endormi soi, son chief clina,

Je vais vous conter l'aventure, telle qu'elle arriva, relatée dans un nouveau lai qu'on appelle Tydorel. Le seigneur qui régnait en Bretagne, qui en était roi par héritage à la suite de sa lignée, prit pour femme en sa jeunesse la fille d'un duc qu'il avait demandée en mariage. Ce roi des Bretons l'épousa en raison de sa beauté et de sa noblesse, il la chérit et l'entoura d'honneurs, de même qu'elle l'áima profondément. Jamais il n'éprouva de jalousie à son égard et elle ne démérita pas de lui. Ils vécurent bien dix ans ensemble sans pouvoir avoir d'enfants.

Au cours d'un été, comme le racontent, paraît-il, les gens du pays, le roi séjournait à Nantes, attiré par la forêt. Un jour, il était parti à la chasse, tandis que la reine était allée se divertir dans un verger, l'après midi, après le repas. Elle avait amené avec elle des dames et des pucelles qui lui tenaient compagnie. Elles se livrèrent à des jeux, plusieurs mangèrent des fruits.

La reine s'assoupit sous une ramée qu'elle avait remarquée et s'était couchée sur l'herbe, appuyée sur une jeune fille. Si la reine se sentait lourde, la jeune fille l'était quatre fois plus ; elle s'endormit en penchant la tête,

e la roïne s'esveilla.
Aprés les autres volt aler,
mes n'en porra nule trover,
molt durement s'en merveilla.
40 Contreval le jardin garda,
si vit .I. chevalier venir
soëf le pas, tout a loisir.
Ce fu li plus biaus hon du mont
de toz iceus qui ore i sont,
45 de raineborc estoit vestuz,
genz ert e granz e bien membruz.
Qant el le voit venir vers soi
grant honte en ot e grant esfroi,
.I. poi s'estut e si pensa.
50 Savez que la dame cuida ?
Que ce fust aucun riche ber
qui fust venuz au roi parler,
e qant il le roi ne trovast
q'a li venist, sel saluast.
55 Li chevaliers cortoisement
par la main senestre le prent ;
mercïe la de ses saluz.
— Dame, fet il, ci sui venuz
por vos que molt aim e desir.
60 Si me dites vostre plesir,
se vos savez e vos cuidiez
que vos amer me peüssiez
d'itele amor con je vos quier,
ne me fetes longues proier.
65 Je vos ameré loiaument,
e si ne puet estre autrement
je m'en irai, vos remaindrez ;
sachiez, ja mes joie n'avrez. »
La dame l'a molt esgardé,
70 e son semblant e sa biauté,

lorsque la reine se réveilla. Voulant rejoindre les
autres, elle ne put en trouver aucune et en fut fort
étonnée. Regardant en bas, vers le jardin, elle vit venir
un chevalier qui venait lentement, d'un pas tranquille : c'était le plus bel homme du monde, plus beau
que tous ceux qui vivent présentement. Magnifique,
grand, de belle stature, il était vêtu d'une étoffe de
Ratisbonne.

Quand elle le vit venir vers elle, elle ressentit une
grande gêne et une grande frayeur. Elle se releva un
peu et se mit à réfléchir. Savez-vous ce que pensa la
dame ? Que c'était quelque puissant seigneur venu
pour parler au roi et qui, ne l'ayant pas trouvé, venait
jusqu'à elle pour la saluer. Courtoisement le chevalier
la prit par la main gauche et la remercia de son geste
d'accueil.

— Dame, dit-il, je suis venu ici pour vous, que
j'aime et que je désire. Dites-moi ce que vous souhaitez ; si vous pensez pouvoir m'aimer de l'amour que je
vous demande, ne souffrez pas que je vous prie plus
longtemps. Je vous aimerai loyalement ; sinon, je m'en
irai, vous laissant là. Mais, sachez-le, vous ne connaî-
trez jamais le bonheur.

La dame le regarda longuement, admirant son air et
sa beauté,

angoisseusement l'aama ;
otroie li qu'el l'amera
s'ele seüst qui il estoit,
conment ot non e dont venoit.
75 — Par foi, fet il, je vos dirai,
noient ne vos en mentirai.
Venez o moi, si le verrez,
car ja autrement nu savrez. »
Il l'a menee ensemble o lui,
80 fors du vergier vienent andui,
son cheval truevent aresnié
qu'il ot a son arbre atachié.
Li destriers fu blans conme flor,
sor ciel n'ot plus bel ne meillor ;
85 s'espee e ses armes trova,
hastivement illec s'arma,
puis est montez, la dame a prise,
sor le col du cheval l'a mise,
o li s'en vet sifaitement.
90 N'ot erré gueres longuement ;
lez la forest, en .I. pendant,
desoz .I. tertre lé e grant
l'a descendue, sor .I. lai
ou plusor firent lor essai.
95 Qui le lac peüst tresnoer,
ja ne seüst de cuer penser
nule chose qu'il ne l'eüst,
e qanque desirrast seüst.
Sor la rive sëoir la fist,
100 tot el cheval el lac se mist ;
l'eve li clot desus le front,
e il se met el plus parfont,
qatre loëes i estut :
onques la dame ne se mut.
105 De l'autre part est fors issuz,

et fut prise d'un violent amour. Elle l'aimerait, convint-elle, à condition de savoir qui il était, quel était son nom et d'où il venait.

— Eh bien, fait-il, je vais vous le dire, je ne vous cacherai rien. Venez avec moi, vous le verrez, car vous ne le saurez pas autrement.

Il l'emmena avec lui et ils sortirent tous deux du verger ; ils trouvèrent son cheval qu'il avait attaché à un arbre par les rênes. Le destrier était blanc comme une fleur, il n'y en avait pas de plus beau ni de meilleur sous le ciel. Il trouva son épée et ses armes, s'équipa en toute hâte, monta à cheval, prit la dame, la posa sur le cou du cheval et partit ainsi.

Après un court trajet, il la déposa près de la forêt, sur une pente, au pied d'un large tertre, au bord d'un lac où beaucoup avaient tenté l'épreuve : qui pouvait traverser le lac à la nage voyait se réaliser tous ses projets et tous ses désirs. Il fit asseoir la dame sur la rive et entra à cheval dans le lac ; l'eau se referma sur son front, il avança dans les profondeurs et y parcourut quatre lieues. La dame n'avait pas bougé. Sorti sur l'autre rive,

si est a la dame venuz.
— Dame, fet il, desoz cest bois
par ceste voie vien e vois.
Ne me demandez noient plus. »
110 Sor le cheval la lieve sus.
— Longuement nos entrameron,
desi qu'aparceü seron.
De moi avrez .I. fiz molt bel,
sel ferez nomer Tydorel.
115 Molt ert vaillanz e molt ert prouz,
de biauté sormontera touz
les chevaliers de ceste terre,
ne ja nul ne li fera guerre,
toz ses voisins sormontera,
120 car grant proesce en li avra ;
de Bretaigne seignor sera,
mes ja des eulz ne dormira.
Qant il avra aage e sens,
fetes o li veillier toz tens,
125 ou qu'il onques soit a sejor,
de chascune meson entor
face .I. homme prendre, a son tor,
qui chant e face grant baudor,
e si li cont aucune rien,
130 ce qu'il savra, ou mal ou bien.
Nel porroient la gent soffrir
q'aucun n'en esteüst morir.
Puis avrez une fille bele ;
qant creüe ert la damoisele,
135 a .I. conte sera donnee
en meïsmes ceste contree.
.II. filz avra preuz e vaillanz
preuz e hardiz e combatanz,
preuz e cortois e vertuos,
140 e molt seront chevaleros,

il revint vers elle.

— Dame, dit-il, dans cette forêt je vais et viens par ce chemin. Ne me posez pas d'autres questions.

Et il la remit en selle.

— Nous nous aimerons longtemps, jusqu'à ce qu'on nous surprenne. Vous aurez de moi un beau fils, vous l'appellerez Tydorel ; il sera vaillant et preux, il dépassera en beauté tous les chevaliers de ce pays et personne ne lui fera la guerre, car il aura le dessus sur tous ses voisins, parce qu'il sera d'une grande bravoure. Il régnera sur la Bretagne, mais jamais il ne fermera les yeux pour dormir. Quand il parviendra à l'âge de raison, faites veiller quelqu'un auprès de lui, où qu'il se trouve ; qu'il fasse prendre dans les maisons voisines des hommes qui tour à tour chanteront, le maintiendront en gaieté et lui raconteront les histoires qu'ils connaissent, intéressantes ou non : personne n'acceptera de mettre un homme en péril de mort. Puis vous aurez une fille très belle. Quand la demoiselle sera grande, on la donnera en mariage à un comte, en ce pays même. Elle aura deux fils, braves et vaillants, hardis et prompts au combat, courtois, courageux, chevaleresques,

    molt seront bel a desmesure,
    molt s'en entremetra Nature,
    car molt seront preuz e vaillanz,
    e si ravront assez enfanz,
145 mes par lignage dormiront
    molt miex que autre gent ne font.
    De ceux istra li quens Alains,
    e puis aprés ses filz Conains. »
    Qant tot li ot dit son talent,
150 el jardin vient, si la descent,
    la l'amena ou il la prist,
    toute sa volonté en fist,
    de li se part, si prent congié.
    Qant il fu issu du vergié,
155 les puceles sont reperies
    qui ainz estoient esloingnies.
    E la roïne s'en ala,
    s'aventure tres bien cela ;
    sovent parloit a son ami,
160 car assez reperoit o li.
    Son ventre crut e engroissa ;
    li rois le sot, grant joie en a
    de ce qu'ençainte ert la raïne,
    mes ne sot pas tout le covine.
165 Li vilains dit a son voisin
    par mal respit en son latin :
    « tex cuide norrir son enfant
    ni li partient ne tant ne qant. »
    Issi fist li rois de cestui,
170 n'iert mie siens, ainz est autrui.
    A merveille liez en estoit,
    que la roïne enceinte estoit,
    e tuit si homme e si ami
    ne sorent pas qu'il fust ainsi.
175 Li termes vint, li filz fu nez

parfaitements beaux. La nature dispensera en eux ses dons et ils auront beaucoup d'enfants ; mais en raison de leur origine ils dormiront beaucoup plus que le commun des mortels. D'eux naîtra le comte Alain, puis son fils Conan.

Quand il eut dit tout ce qu'il avait à dire, il revint au jardin, fit descendre de cheval la dame, la ramena là où il l'avait prise, accomplit avec elle ses désirs et partit avec sa permission. Quand il fut sorti du verger, les pucelles qui s'étaient éloignées revinrent et la reine s'en alla, cachant avec soin son aventure. Elle s'entretenait souvent avec son ami qui revenait auprès d'elle. Son ventre grossit, le roi l'apprit et fut heureux de la savoir enceinte, mais il ignorait tout de la situation. Le vilain[1] colporte dans son voisinage un proverbe malveillant : « Tel croit élever son enfant, qui n'est pas de lui. »

C'est ce qui arriva au roi : l'enfant n'était pas le sien, mais celui d'un autre. Il était au comble de la joie pour la grossesse de la reine, ainsi que ses gens et ses amis qui ne savaient rien de l'affaire. Le terme arrivé, un fils vint au monde,

---

1. *vilain :* le vilain représente ici la sagesse populaire, la commune opinion publique. Même sens à la fin du lai du *Trot.* Il existe au XIIIe siècle un recueil de *Proverbes au vilain.*

        e bien norriz e bien gardez,
        Tydorel le firent nomer
        en droit baptesme e apeler.
        Onques des eulz ne someilla,
180   ne ne dormi, totjors veilla ;
        a grant merveille l'ont tenu
        tuit si homme qui l'ont veü.
        Qant en aage fu venuz
        e il estoit granz e creüz,
185   firent o lui veillier la gent
        chascune nuit diversement.
        Fables contoient e respit
        si con sa mere li ot dit.
        La suer qui fu aprés lui nee
190   a .I. conte fu mariee.
        Li chevaliers ques engendra
        a la roïne repera
        soventes foiz, car molt l'amot
        e ele lui, que plus ne pot,
195   tant que furent aparceüz
        par .I. vassal ques a veüz.
                Uns chevaliers gisoit plaiez
        en la vile, forment bleciez,
        de secors eüst grant mestier,
200   failli li erent si denier.
        Il s'est esforciez e levez,
        a la roïne en est alez
        a li requerre e demander
        que du sien li face donner,
205   car ele a costumë avoit,
        as besoingneus assez donoit ;
        dras e chevaus, or e argent
        as besoigneus donnoit sovent.
        L'uis de la chambre ou ele gist
210   trova overt, dedenz se mist.

il fut élevé et entouré de soins comme il se devait, on lui donna en baptême le nom de Tydorel. Toujours en état de veille, il ne pouvait ni somnoler ni dormir. Tous ceux qui le voyaient découvraient ce grand prodige.

Quand l'enfant eut grandi en âge et en force, on fit veiller chaque nuit avec lui des gens à tour de rôle. On lui racontait des histoires et des apologues, comme sa mère l'avait recommandé. Sa sœur cadette épousa un comte. Le chevalier, leur père, revint souvent trouver la reine, car ils s'aimaient de toutes leurs forces, jusqu'à ce qu'un homme de la cour les surprît.

Il y avait en ville un chevalier alité, gravement blessé, qui aurait eu bien besoin de secours, étant sans argent. Au prix de grands efforts il se leva, alla demander à la reine de lui accorder quelque aide sur ses fonds personnels, car elle était naturellement généreuse et donnait largement aux besogneux vêtements et chevaux, or et argent. Il trouva ouverte la porte de la chambre où elle couchait et entra.

Lez la roïne vit celui
dont il ot puis ire e ennui ;
entre ses braz la dame tint,
dont s'en ala, puis ne revint.
215 E cil amaladi le jor
e empoira de sa dolor,
l'endemain a l'eure fina
que il les vit e esgarda.
Aprés cest fet que je vos di,
220 li rois de Bretaigne feni.
De Tydorel firent seignor.
Onques n'orent eü meillor,
tant preu, tant cortois, tant vaillant,
tant large, ne tant despendant,
225 ne miex tenist em pes la terre ;
nus ne li osa fere guerre.
De puceles ert molt amez
e de dames molt desirrez,
li sien l'amoient e servoient,
230 e li estrangé le cremoient.
.X. anz fu rois poësteïs,
si con dïent cil du païs.
Qant li dis anz furent passé
qu'il ot tenu em poësté,
235 a Nantes ala sejorner.
Molt pot cele contree amer
por sa mere qui la manoit,
e ci tot son conseil estoit.
Tant comme il i a sejorné,
240 par les mesons de la cité
prenoient hommes chascun jor,
einsi conme il venoit en tor,
qui o le roi la nuit veillassent,
fables deïssent e contassent.
245 .I. samedi oï conter,

Il vit alors près de la reine celui qui fut plus tard la cause de ses ennuis et de ses tourments ; il tenait la dame dans ses bras, puis il s'en alla pour ne plus revenir. Le blessé se sentit plus mal ce jour-là, sa souffrance empira et il trépassa le lendemain à l'heure où il avait aperçu les amants.

A la suite de ces faits, le roi de Bretagne mourut. Les Bretons firent de Tydorel leur seigneur, ils n'en eurent jamais de meilleur ni qui assurât mieux la paix dans son royaume ; il était courageux, vaillant, courtois, généreux, libéral ; personne n'osait lui faire la guerre. Il était aimé des jeunes filles, objet d'admiration pour les dames ; ses gens l'aimaient et le servaient, les étrangers le craignaient.

Pendant dix ans il fut un roi puissant, disent les gens du pays. Ces dix ans écoulés, il alla séjourner à Nantes, il aimait beaucoup cette contrée à cause de sa mère qui y demeurait, parce que son conseil s'y trouvait. Pendant toute la durée de son séjour on prenait chaque jour dans les maisons de la cité des hommes pour veiller tour à tour la nuit avec le roi et pour lui raconter des histoires.

Un samedi, ai-je entendu dire,

conmë il vint a l'avesprer,
sont a une meson venu
l'ome semons au roi meü,
car trop avoient demoré,
250 il estoient dedenz entré.
Une veve laienz manoit,
foible et viele, malade estoit.
.I. filz avoit ensemble o li
qu'ele ot molt longuement norri.
255 Onques ne volt de lui partir,
ne fors de la cité issir.
A .I. orfevre l'out baillié,
apris l'avoit e ensaignié,
assez savoit de son mestier.
260 De ce qu'il pooit gaaingnier
pessoit sa mere chascun jor
e conreoit a grant honor.
Cil le ruevent apareillier
d'aler ensemble o eus veillier
265 en la chambre le roi la nuit,
si gart qu'il sache aucun deduit.
Il lor respont : « Alez avant !
Onques n'en soi ne tant ne qant ;
je ne sai fable ne chançon
270 ne bien conter une reson. »
Li mesage furent irié,
le bacheler ont menacié
se il n'i veut par bel aler,
il l'i feront par mal mener,
275 e si sera en tel leu mis
dont a totjors li ert mes pis.
Sa mere ot grant poör d'iceus.
— Biaus filz, fet ele, alez o eus. »
Il li respont : « Lessiez m'ester.
280 Se je ne savoie chanter,

vers le soir, on alla chercher à une maison l'homme
requis pour le roi, car on avait pris du retard. Les
messagers entrèrent dans cette maison : une veuve y
habitait, faible, vieille et malade, elle avait avec elle un
fils qu'elle entretenait depuis longtemps à son foyer. Il
refusa de se séparer d'elle et de sortir de la cité. Elle
l'avait confié à un orfèvre et il connaissait bien son
métier. Son gain servait à faire vivre chaque jour sa
mère à qui il assurait une vie honorable. Les gens du
roi l'invitèrent à se tenir prêt pour aller avec eux veiller
la nuit dans la chambre de leur maître, « il devait
songer à prévoir quelque distraction ».

— Sortez, leur répondit-il, je ne sais ni conte ni
chanson, ni raconter une histoire.

En colère, les messagers le menacèrent : s'il ne voulait pas y aller de bon gré, ils l'y contraindraient de
force et on le mettrait en un lieu qu'il aurait toujours
à regretter. Sa mère avait grande peur de ces gens.

— Cher fils, dit-elle, suis-les.

— Laissez-moi tranquille, répondit-il. Si je ne sais
pas bien chanter,

en sa prison me getera
e .I. des eulz me crevera.
    — Biaus fiz, fet ele, entent a moi,
tu iras veillier o le roi.
285 Qant il te rovera conter,
ne fable dire, ne chanter,
respon que tu n'en sez noient.
S'il se corrouce durement,
si li di tant : que n'est pas d'ome
290 qui ne dort, ne qui ne prent some.
Par tant le feras tu penser,
e si qu'il te lera ester.
Va t'en, biau fiz tot asseür,
Diex te doint vers lui bon eür. »
295   Qant cil oï l'enseignement,
a la cort vint hastivement.
Es chambres le roi est entrez,
cil sont a lor ostiex alez,
celui lesserent o le roi
300 qui l'apela dejoste soi.
Qant vesprés fu e anuitié,
li chambellenc se sont couchié.
Li rois seoit sor .I. haut lit,
celui apele, si li dist :
305 — Amis, di moi aucune rien
ou j'entendré, si feras bien.
    — Sire, fet il, onc ne contai,
si m'aït Dex, ne ne chantai.
Bien a .XV. anz mort fu mon pere,
310 une povre fame est ma mere,
a grant angoisse m'a norri,
onques de li ne departi ;
petit ai oï e veü,
e encor ai mains retenu.
315 Li rois li dist : « Merveilles oi !

il me mettra en prison et me fera crever un œil.

— Cher fils, écoute-moi, tu vas aller veiller avec le roi. Quand il te demandera de raconter quelque chose, de narrer une histoire ou de chanter, réponds-lui que tu en es incapable. S'il a un accès de colère, dis-lui seulement qu'il n'est pas né d'un homme celui qui ne dort pas et ne peut pas trouver le sommeil : ainsi tu le feras réfléchir et il te laissera en paix. Va, cher fils, en toute confiance. Que Dieu fasse que tout aille bien.

Après avoir entendu ces conseils, le fils gagna en toute hâte la cour, il entra dans les appartements du roi. Les gens rentrèrent chez eux, laissant avec le roi celui qu'il avait appelé près de lui. Quand vint le soir, à la nuit tombante, les chambellans allèrent se coucher. Le roi était assis sur un lit élevé ; s'adressant au jeune homme, il lui dit :

— Ami, raconte-moi quelque chose qui m'intéresse, tu me feras plaisir.

— Seigneur, je n'ai jamais raconté d'histoire, que Dieu m'aide, et je n'ai jamais chanté. Il y a bien quinze ans que mon père est mort, ma mère est une pauvre femme, elle m'a élevé avec bien des difficultés, je ne l'ai jamais quittée. Je n'ai entendu et vu que peu de chose, et encore moins retenu.

— C'est incroyable, ce que j'entends là ! dit le roi.

Il n'est nus hon tant sache poi
conme tu ses, si con tu dis,
dont es tu molt fol esbahiz.
Mes ja si ne m'en gaberas.
320 Qant tu de moi departiras
n'avras tu talent de gaber
ne de nul autre homme afoler. »
Molt le conmence a menacier.
....
325 — Sire, fet il, si con je di,
petit ai veü e oï,
fors tant que j'ai oï parler
e a plusors genz raconter
por vérité que n'est pas d'ome
330 qui ne dort ne qui ne prent somme. »
      Li rois se tut, son chief clina,
molt angoisseusement pensa
d'ice qu'il onques ne dormi.
Bien set que cil avoit oï
335 qu'il n'estoit mie d'ome nez.
Dolenz en est e trespensez
que toz li mondes reposoit
e il par nuit e jor veilloit.
Il s'est levez hastivement,
340 soz son chevez s'espee prent,
en la chambre sa mere entra,
a son lit vint, si l'esveilla.
Qant el le vit, si s'est drecie,
sor son coute s'est apuïe.
345 — Filz, fet ele, por Deu merci,
qu'est ce ? Que querez vos ici ?
— Par Deu ! fet il, toute i morrez,
ja de mes mains n'eschaperez,
si vos ne me dites le voir
350 qui filz je sui, je veil savoir.

Il n'est point d'homme aussi ignorant que tu le dis.
Tu es donc un sot, un nigaud ! Tu ne te moqueras pas
ainsi de moi : quand tu sortiras d'ici, tu n'auras plus
envie de te moquer, ni de mystifier personne.

Et il se mit à le menacer.

— Seigneur, je vous l'ai dit, j'ai peu vu, peu
entendu. J'ai seulement entendu dire à plusieurs personnes comme une vérité qu'il n'est pas né d'un
simple mortel celui qui ne dort pas et ne peut trouver
le sommeil.

Le roi se tut, baissa la tête, se posa d'inquiétantes
questions sur son absence de sommeil. Il comprit que
le jeune homme avait entendu dire qu'il n'était pas né
d'un simple mortel. Il s'émut, bouleversé à la pensée
que tout le monde prenait du repos, tandis qu'il restait
éveillé jour et nuit. Il se leva aussitôt, prit son épée à
son chevet, entra dans la chambre de sa mère, alla à
son lit et la réveilla[1]. En le voyant, elle se dressa en
s'appuyant sur son coude.

— Mon fils, fit-elle, pour l'amour de Dieu, qu'est-
ce ? Que cherchez-vous ici ?

— Par Dieu, vous allez mourir sans rémission, vous
n'échapperez pas à mes mains, si vous ne me dites pas
la vérité. De qui suis-je le fils ? Je veux le savoir.

---

1. *et la réveilla* : cette scène où Tydorel exige d'apprendre la
vérité de la bouche de sa mère est très proche de celle qu'on lit dans
le roman de *Robert le Diable*, où Robert veut éclaircir le mystère de
sa naissance.

Cil qui o moi devoit veillier
ce dit orainz en reprovier :
ce m'est avis, si droit recort,
que n'est pas d'ome, qui ne dort.
355 Totes genz dorment e je veil ;
or l'ai oï, si m'en mervel.
Ele respont : « ce que j'en sai
volentiers, biaus fiz, vos dirai.
Tu es mes filz, je sui ta mere,
360 li rois ne fu pas vostre pere.
Nos fumes ensemble .X. anz,
ne peüsmes avoir enfanz.
En ceste vile molt sovent
sejornoit li rois o sa gent.
365 .I. jor ala em bois chacier
e je m'alai esbanoier
en un vergier, por la chalor,
sor l'erbe fresche e sor la flor.
De mes puceles i menai,
370 ensemble o eles me joai,
assez menasmes grant deduit,
li plusor menjoient du fruit.
Assis moi soz une ente bele,
o moi avoit une pucele ;
375 molt durement m'apesanti
e la damoisele autresi
endormi soi sifetement,
ne la poi esveillier noient.
Je m'esveillai, si m'esfreai,
380 grant pëor oi, si la lessai.
Qant verité dire vos doi,
la vint .I. chevalier a moi ;
molt estoit biaus a desmesure,
par estuide l'ot fet Nature.
385 Nature ot en li asemblé

Celui qui devait veiller avec moi m'a dit tout à l'heure
comme un reproche qu'il n'est pas né d'un homme
celui qui ne dort pas. Tout le monde dort, et moi je
veille ! Voilà ce que je viens d'entendre, j'en suis stu-
péfait.

— Je vous dirai volontiers, répondit-elle, cher fils,
ce que j'en sais. Vous êtes mon fils, je suis votre mère.
Le roi n'était pas votre père. Nous avons vécu dix ans
ensemble sans pouvoir avoir d'enfants. Le roi séjournait très souvent en cette ville avec ses gens. Un jour,
il est allé chasser en forêt et je suis allée me reposer
dans un verger sur l'herbe fraîche et sur les fleurs à
cause de la chaleur. Je jouais avec mes pucelles que j'y
avais emmenées, nous nous amusions beaucoup,
beaucoup d'entre elles mangeaient des fruits. Je
m'assis sous une belle ramée, en compagnie d'une
jeune fille ; je m'assoupis pesamment, la demoiselle
elle aussi s'endormit et je ne pus la tirer du sommeil.
Je m'éveillai, saisie de frayeur, en proie à une grande
peur et je la laissai là. Pour vous dire toute la vérité,
un chevalier vint vers moi, extraordinairement beau :
Nature avait réuni en lui

　　　qanque sot fere de biauté,
　　　e si estoit molt bien vestuz,
　　　e granz e larges e membruz.
　　　De druerie me requist,
390　menaça moi, e si me dist
　　　se je ne l'amoie d'amor
　　　ja mes n'avroie bien nul jor ;
　　　il s'en iroit, je remaindroie,
　　　ja mes joie ne bien n'avroie,
395　forment en fui espoërie.
　　　Molt me requist ma druerie.
　　　Tant le vi bel e avenant,
　　　e si cortois e si parlant,
　　　que je l'amai molt durement
400　e il moi angoisseusement.
　　　Demandai li qui il estoit,
　　　dit moi qu'il le me mostreroit.
　　　Il m'en mena fors du vergié,
　　　ou son cheval ot atachié ;
405　toutes ses armes i trouva
　　　que il avec soi aporta.
　　　Armez s'en est molt gentement,
　　　molt furent bel si garnement ;
　　　delivrement s'estoit armez,
410　puis est sor son cheval montez,
　　　par la main destre dont me prist,
　　　sor le col du cheval m'asist,
　　　o lui alai sifaitement.
　　　Sachiez de riens ne vos en ment.
415　Desoz ce bois, en ce grant lai,
　　　la ou les genz font lor essai,
　　　me porta, si me descendi ;
　　　ilec m'asis, si atendi.
　　　Ce sachiez bien veraiement,
420　de moi parti isnelement ;

tous les charmes imaginables. Il était bien vêtu, grand,
large, de belle corpulence. Il sollicita mon amour avec
des menaces et me dit que, si je ne l'aimais pas
d'amour, je ne connaîtrais jamais plus un jour heureux ; il s'en irait, je resterais seule, sans jamais jouir
du bonheur. J'en fus épouvantée. Il requit avec insistance mes faveurs ; je le vis si beau, si séduisant, si
courtois, si convaincant que je tombai follement
amoureuse de lui, comme lui de moi. Je lui demandai
qui il était, il me dit qu'il me l'apprendrait. Il m'emmena hors du verger, là où il avait attaché son cheval,
il y trouva ses armes qu'il avait apportées et s'en arma
avec des gestes rapides et élégants ; son équipement
était magnifique. Puis il monta sur son cheval, il me
prit par la main droite et m'assit sur le cou de sa
monture, et je m'en allai ainsi avec lui. Sachez que je
vous dis toute la vérité. Il me porta près d'un bois, au
bord d'un grand lac où beaucoup tentent l'épreuve, il
me fit descendre de cheval. Je m'assis là en l'attendant
— ce que je vous dis est vrai — il me quitta en hâte,

a cheval est el lai entrez,
el plus parfont, trestoz armez.
Quatre loëes demora,
a moi revint e reparla,
425 e si me dit que il venoit
de son païs qant il voloit.
Par illec venoit e aloit
sifetement qant li plesoit.
N'avoit cure d'ome mener
430 ne au venir ne a l'aler ;
il seus ses garnemenz portoit,
tot sol venoit, tot sol aloit,
n'avoit cure de conpaingnie.
Onques, tant con je fui s'amie,
435 ne vi garçon ne escuier
qui o lui deüst chevauchier.
O moi revint trestot ainsi,
e mainte foiz me desfendi
por ma vie bien me gardasse
440 que je plus ne li demandasse
de son estre ; plus ne l'enquis,
car son conmandement bien fis.
Bien gardai son conmandement,
car plus ne li enquis noient.
445 Longuement, ce dit, m'ameroit
deci q'aparceüz seroit.
Il savoit bien certainement
e bien le me disoit sovent,
que il seroit aparceüz
450 e encerchiez e conneüz ;
« e si avrez de moi .I. fis
qui molt sera preuz e gentis
e biaux e genz e avenanz,
larges, cortois e despendanz,
455 e preuz a pié e a cheval. »

entra à cheval dans le lac, jusque dans ses profondeurs, tout armé. Il y parcourut quatre lieues, revint
me parler et me dit qu'il venait de son pays quand il
voulait, qu'il allait et venait par cette voie comme il lui
plaisait ; il n'emmenait personne avec lui dans ces
allées et venues, il portait seul son équipement, il faisait seul ces va-et-vient, sans avoir besoin de compagnie. Pendant tout le temps que j'ai été son amie, je
n'ai jamais vu de serviteur ni d'écuyer chevaucher
avec lui. Il revenait souvent me trouver en m'interdi-
sant, sur ma vie, de lui poser des questions sur son
état, je n'en posais pas et je respectais ses ordres scru-
puleusement. Il m'aimerait, disait-il, longtemps avant
d'être surpris, mais il savait certainement, et il me le
répétait, qu'il serait recherché, découvert et reconnu.
« Vous aurez de moi, ajoutait-il, un fils qui sera preux,
beau, aimable, séduisant, courtois, généreux, vaillant à
pied comme à cheval. »

En vos avroit noble vassal,
petiz serez, ne gueres granz,
mes molt serez preuz e vaillanz,
mes ja someil ne vos prendra :
460 « ne nuit ne jor ne dormira.
Qant il avroit entendement,
chascune nuit diversement
meïsse gent o lui veillier
por chanter e por fabloier. »
465 Qant tot m'ot dit e enseignié,
si m'amena desq'au vergié.
Biau fiz, ce est la verité :
ce jor fustes vos engendré.
Longuement repera a moi,
470 plus de .XX. anz, si con je croi,
tant c'uns chevaliers l'aperçut,
qui de male mort en morut.
Il s'en ala, puis ne revint
ne je ne sai qex voies tint. »
475 Qant Tydorel a tot oï,
de sa mere se departi ;
en ses chambres est reperiez,
ses chambellans a esveilliez,
ses armes rova aporter
480 e son bon cheval amener.
Cil ont fet son conmandement,
e il s'arma delivrement.
Sitost conme il se fu armez,
sor son cheval estoit montez.
485 Poignant en est au lai venuz,
et plus parfont s'est enz feruz ;
illec remest, en tel maniere,
que puis ne retorna ariere.
Cest conte tienent a verai
490 li Breton qui firent le lai.

Vous seriez un noble seigneur, vous resteriez petit et
ne grandiriez pas beaucoup, mais vous seriez brave et
valeureux, et jamais vous ne seriez pris de sommeil,
vous ne dormiriez ni nuit ni jour. Quand vous par-
viendriez à l'âge de raison, chaque nuit je devais
mettre à tour de rôle des gens pour veiller avec vous et
vous distraire par des chants et des récits.

Quand il eut fait toutes ces révélations, il m'emmena jusqu'au verger. Cher fils, c'est la vérité : ce
jour-là vous fûtes engendré. Pendant longtemps il
revint me voir, pendant plus de vingt ans, je pense,
jusqu'au jour où un chevalier le surprit, qui en mourut
de male mort. Il partit alors pour ne plus revenir et je
ne sais par quels chemins.

Quand Tydorel eut tout entendu, il quitta sa mère,
regagna ses appartements, réveilla ses chambellans, se
fit apporter ses armes et amener son bon cheval. On
obéit à ses ordres et il s'arma promptement. Aussitôt
armé, il monta sur son cheval. Piquant des deux, il
vint au lac et s'enfonça dans ses profondeurs. Il y
demeura et ne revint jamais plus par la suite.

Les Bretons qui firent ce lai tiennent ce conte pour
véridique.

LE LAY DE TYOLET

LAI DE TYOLET

C'est le lay de Tyoulet.

Jadis au tens q'Artur regna,
que il Bretaingne governa
que Engleterre est apelee,
5 dont n'estoit mie si puplee
conme ele or e, ce m'est a vis ;
mes Artur, qui ert de grant pris,
avoit o lui tex chevaliers
qui molt erent hardiz e fiers.
10 Encor en i a il assez
qui molt sont preuz e alosez,
mes ne sont pas de la maniere
qu'il estoient du tens ariere,
que li chevalier plus poissant,
15 li miedre, li plus despendant,
soloient molt par nuit errer,
aventures querre e trover,
e par jor ensement erroient,
que il escuier nen avoient,
20 si erroient si toutejor.
Ne trouvassent meson ne tor
ou .II. ou .III. par aventure,
e ensement par nuit oscure
aventures beles trovoient
25 qu'ils disoient e racontoient.
A la cort erent racontees,
si conme eles erent trovees ;
Li preude clerc qui donc estoient
totes escrire les fesoient ;
30 mises estoient en latin
e en escrit em parchemin,
por ce qu'encor tel tens seroit
que l'en volentiers les orroit.
Or son dites e racontees,
35 de latin en romanz trovees ;

Voici le lai de Tyolet. Jadis, au temps du règne d'Arthur qui gouvernait la Bretagne, qui sera appelée l'Angleterre, elle n'était pas, je crois, aussi peuplée qu'aujourd'hui, mais Arthur qui jouissait d'une grande renommée avait avec lui des chevaliers hardis et fiers. Il en est encore beaucoup qui sont braves et illustres, mais sans être de la qualité de ceux d'autrefois dont les plus puissants, les meilleurs, les plus généreux avaient coutume de chevaucher la nuit à la recherche d'aventures. Ils cheminaient aussi à longueur de journée sans écuyer, sans trouver deux ou trois châteaux, mais ils rencontraient par des nuits obscures de belles aventures qu'ils racontaient ensuite. Ils les contaient à la cour telles qu'elles étaient arrivées. Les savants clercs de cette époque les faisaient mettre par écrit en latin sur des parchemins, parce que viendrait un temps où on aurait plaisir à les écouter. On les raconte maintenant traduites du latin en français ;

Bretons en firent lais plusors,
si con dïent nos ancessors.
.I. en firent que vos dirai,
selonc le conte que je sai
40 du vallet bel e engingnos,
hardi e fier e coragos.
Tyolet estoit apelez,
de bestes prendre sot assez
que par son sisflé les prenoit,
45 totes les bestes qu'il voloit.
Une fee ce li ora
e a sifler li enseigna ;
Dex onc nule beste ne fist
qu'il a son siflé ne preïst.
50   Une dame sa mere estoit
qui en .I. bois adés manoit,
.I. chevalier ot a seignor
qui mest ilec e nuit e jor ;
tot seul en la forest manoit.
55 de dis liues meson n'avoit.
Mort est, bien ot passé .XV. anz,
e Tyolet fu biaus e granz,
mes onques chevalier armé
n'ot veü en tot son aé,
60 ne autres genz gueres sovent
n'ot il pas veü ensement.
El bois o sa mere manoit,
onques jor fors issu n'avoit,
en la forez ot sejorné,
65 car sa mere l'ot molt amé.
Dont i ala qant li plesoit,
nul autre mestier ne faisoit.
Qant les bestes sifler l'ooient,
tot erramment a li venoient ;
70 de ceus que il voloit, tuoit

les Bretons en ont fait plusieurs lais, disent nos ancê-
tres.

Ils en ont composé un que je vais vous dire d'après
le conte que je connais sur un beau jeune homme,
avisé, hardi, fier et courageux appelé Tyolet. Il était
habile à prendre les bêtes par son sifflement, toutes les
bêtes qu'il voulait. Une fée lui fit ce don et lui apprit
à siffler. Sa mère était une dame qui résidait dans une
forêt ; elle avait eu pour mari un chevalier qui vivait là
nuit et jour. Il y habitait tout seul, il n'y avait aucune
maison à dix lieues à la ronde.

Il était mort, il y avait au moins quinze ans, et
Tyolet était devenu beau et grand, mais il n'avait
jamais vu, jusqu'à cet âge, un chevalier en armes, pas
plus que, rarement, d'autres gens. Il demeurait dans
les bois avec sa mère, il n'en était jamais sorti, ne
quittant jamais la forêt, couvé par l'amour de sa mère.
Il y circulait à son gré, n'ayant pas d'autre occupation.
Quand les bêtes l'entendaient siffler, elles accouraient
à lui ; il tuait celles qu'il voulait

e a sa mere les portoit.
De ce vivoit lui e sa mere,
e il n'avoit ne suer ne frere ;
la dame molt vaillanz estoit,
75 e leaument se contenoit.
A son filz .I. jor demanda
bonement, car forment l'ama,
el bois alast, .I. cerf preïst,
e il son conmandement fist.
80 El bois hastivement ala
si con sa mere conmanda.
Desq'a tierce a el bois alé,
beste ne cerf n'i a trouvé.
A soi molt corrouciez estoit
85 de ce que beste ne trouvoit ;
droit vers meson s'en volt aler,
qant soz .I. arbre vit ester
.I. cerf qui ert e grant e gras,
e il sifla eneslepas.
90 Li cers l'oï, si regarda,
ne l'atendi, ainz s'en ala ;
le petit pas du bois issi,
e Tyolet tant le sevi
q'a une eve l'a droit mené ;
95 le cerf s'en est outre passé.
L'eve estoit grant e ravineuse
e lee e longue e perilleuse.
Li cers outre l'eve passa,
e Tyolet se regarda
100 tries soi, si vit venir errant
.I. chevrel cras e lonc e grant.
Arestut soi e si sifla,
e li chevreus vers lui ala ;
sa main tendi, illec l'ocist,
105 son costel tret, el cors li mist.

et les apportait à sa mère : c'était pour eux deux leur
subsistance. Il n'avait ni sœur ni frère. La dame était
courageuse et d'une parfaite honnêteté.

Elle demanda un jour gentiment à son fils d'aller
dans la forêt et de prendre un cerf ; il obéit à cette
invitation. Il parcourut la forêt jusqu'à tierce[1] sans
trouver bête ni cerf. Irrité contre lui-même de ne pas
rencontrer de gibier, il avait l'intention de rentrer à la
maison, quand il vit, dressé sous un arbre, un cerf
grand et gros. Il siffla aussitôt ; le cerf l'entendit et le
regarda, mais ne l'attendit pas et s'en alla. A petits pas
il sortit de la forêt et Tyolet le suivit tant que le cerf le
mena tout droit à une rivière qu'il traversa. Le courant
était fort et impétueux, large et dangereux.

Quand le cerf l'eut passé, Tyolet regarda derrière
lui et vit venir un chevreuil bien nourri, grand et
élancé. Il s'arrêta et siffla, le chevreuil s'approcha,
Tyolet tendit sa main, tira son couteau, le lui plongea
dans le corps et le tua sur place.

---

1. *tierce* : la troisième heure de la journée à partir de 6 heures,
donc 9 heures du matin.

Endementres qu'il l'escorcha,
e li cers se tranfigura
qui outre l'eve s'estoit mis,
....
110 e .I. chevalier resembloit
tot armé sor l'eve s'estoit,
sor .I. cheval detries comé,
s'estoit com chevalier armé.
Le vallet l'a aperceü,
115 onques mes tel n'avoit veü ;
a merveilles l'a esgardé
e longuement l'a avisé ;
de tel chose se merveilloit
car onques mes veü n'avoit.
120 Ententivement l'avisa ;
le chevalier l'aresonna,
a lui parla premierement,
molt bel e amïablement ;
demande li qui il estoit,
125 q'aloit querant, quel non avoit.
E Tyolet li respondi,
qui molt estoit preuz e hardi,
filz a la veve dame estoit
qui en la grant forez manoit,
130 — e Tyolet m'apele l'on,
cil qui nomer veulent mon non.
Or me dites, se vos savez,
qui vos estes, quel non avez. »
E cil li respondi errant
135 qui seur la rive fu estant,
que chevalier ert apelé.
E Tyolet a demandé
quel beste chevalier estoit,
ou conversoit e dont venoit.
140 — Par foi, fet il, jel te dirai,

Tandis qu'il l'écorchait, le cerf qui avait franchi la rivière se transfigura et prit l'apparence d'un chevalier. Il se tenait, en armes, au bord de l'eau, sur un cheval dont la crinière flottait par-derrière. Le jeune homme le regarda longtemps avec stupéfaction, il n'en avait jamais vu de pareil. Emerveillé de cette apparition insolite, il ne pouvait en détacher ses regards.

Le chevalier, le premier, lui adressa la parole en des termes aimables et polis, lui demanda qui il était, ce qu'il cherchait, quel était son nom. Sans se laisser intimider, Tyolet lui répondit qu'il était le fils de la dame veuve qui habitait la grande forêt, « et on m'appelle Tyolet pour ceux qui veulent savoir mon nom. Dites-moi aussi qui vous êtes et quel est votre nom ». Le chevalier, debout sur la rive, répondit qu'on l'appelait « chevalier ». Tyolet voulut savoir quelle sorte de bête était un chevalier, où il habitait, d'où il venait.

— Ma foi, fit-il, je vais te le dire

que ja mot ne t'en mentirai.
C'est une beste molt cremue,
autres bestes prent e menjue,
el bois converse molt souvent,
145 e a plainne terre ensement.
    — Par foi, fet il, merveilles oi.
Car onques, puis que aler soi
e que par bois pris a aler,
ainz tel beste ne poi trover.
150 Si connois je ors e lions,
e totes autres venoisons ;
n'a beste el bois que ne connoisse,
e que ne preigne sanz angoisse,
ne mes vos que ne connois mie.
155 Molt resemblez beste hardie.
Or me dites, chevalier beste,
que est ice sor vostre teste ?
E qu'est ice q'au col vos pent ?
roge est e si reluist forment.
160 — Par foi, fet il, jel te dirai,
que ja de mot n'en mentirai.
C'est une coiffe, hiaume a non,
si est d'acier tout environ,
e cest mantel q'ai afublé,
165 c'est .I. escu a or bendé.
    — E qu'est ice q'avez vestuz,
qui si est pertuisiez menuz ?
    — Une cote est, de fer ovree ;
hauberc est par non apelee.
170 — E qu'est ice q'avez chaucié ?
Dites le moi par amistié.
    — Chauces de fer sont apelees ;
bien sont fetes e bien ovrees.
    — E ce que est que ceint avez ?
175 Dites le moi se vos volez.

sans mentir d'un seul mot. C'est une bête redoutable,
qui attaque et dévore les autres bêtes ; elle vit fréquemment dans la forêt et aussi dans la plaine.

— Ma parole, dit Tyolet, j'entends des merveilles !
Car depuis que j'ai su marcher et que j'ai commencé à
parcourir les forêts, je n'ai jamais rencontré une bête
de ce genre. Je connais les ours, les lions et tous les
autres gibiers. Il n'est pas une bête en forêt que je ne
connaisse et que je ne prenne sans avoir peur, mais
vous, je ne vous connais pas. Vous avez l'air d'une
bête hardie. Dites-moi donc, chevalier-bête, qu'y a-t-il
sur votre tête ? Et qu'est-ce qui est suspendu à votre
cou, qui est tout rouge et qui brille tant ?

— Eh bien, je te le dirai franchement : c'est une
coiffe appelée heaume, entièrement faite d'acier et ce
manteau qui me couvre, c'est un bouclier à la bande
d'or.

— Et ce que vous avez revêtu, cet habit plein de
petits trous ?

— C'est une cotte de fer qu'on appelle haubert.

— Et ce que vous avez chaussé ? Dites-le-moi, s'il
vous plaît.

— Espee a non, molt par est bele,
trenchant e dure la lemele.
— Ice lonc fust que vos portez ?
Dites le moi, ne me celez.
180 — Veus le savoir ? — Oïl, par foi.
— Une lance que port o moi.
Or t'en ai dit la vérité
de qanque tu m'as demandé.
— Sire, fet il, vostre merci.
185 Car pleüst Dieu qui ne menti,
que j'eüsse tiex garnemenz
con vos avez, si biaus, si genz,
tel cote eüsse, e tel mantel
con vos avez, e tel chapel.
190 Or me dites, chevalier beste,
por Deu e por la seue feste,
se il est duques de tiex bestes
ne de si beles con vos estes.
— Oïl, fet il, veraiement,
195 ja, t'en mosterré plus de cent. »
Ne demora que un petit,
si conme li contes nos dit,
que .II. cenz chevaliers armez
erroient tres par mi uns prez,
200 qui de la cort au roi venoient ;
son conmandement fet avoient.
Une fort meson orent prise
e en feu e en charbon mise,
si s'en repairent tuit armé,
205 en .III. eschieles bien serré.
Chevalier beste dont parla
a Tyolet, e conmanda
c'un seul petit avant alast,
outre la riviere gardast.
210 Cil a fet son conmandement,

— Ce sont des chausses de fer, de bonne et belle fabrication.

— Et ce que vous avez ceint ? Voulez-vous me le dire ?

— Cela s'appelle une épée, elle est très belle, elle a une lame solide et tranchante.

— Et ce long bâton que vous portez ? Dites-le-moi, ne me cachez rien.

— Tu veux le savoir ?

— Oui, bien sûr.

— C'est une lance que je porte avec moi. J'ai répondu à toutes tes questions.

— Seigneur, grand merci. Plaise à Dieu, sur qui on peut compter, que j'aie un équipement comme le vôtre, aussi beau, aussi seyant, la même cotte, le même manteau que vous, le même chapeau. Dites-moi encore, chevalier-bête, par Dieu et par sa fête, s'il existe quelques autres bêtes aussi belles que vous.

— Oui, assurément, je t'en montrerai plus de cent.

Peu après, nous dit le conte, deux cents chevaliers en armes qui revenaient de la cour du roi cheminaient à travers les prés : ils avaient exécuté ses ordres, avaient pris une forteresse, l'avaient incendiée et réduite en cendres ; ils s'en revenaient en armes, en trois bataillons serrés. S'adressant à Tyolet, le chevalier-bête l'invita à s'avancer un peu et à regarder de l'autre côté de la rivière. Le jeune homme obéit,

    outre regarde isnelement,
    si voit errer les chevaliers
    trestot armez sor les destriers.
    — Par foi, fet il, or voi les bestes
215 qui totes ont coiffes es testes.
    Onques mes tex bestes ne vi,
    ne tiex coiffes con je vois ci.
    Car pleüst or Dieu a sa feste
    que je fusse chevalier beste ! »
220 Cil ra donques a lui parlé
    qui sor la rive estoit armé :
    — Seroies tu preuz e hardi ?
    — Oïl, par foi, le vos afi.
    Si li a dit : « Or t'en iras,
225 e qant ta mere reverras
    e ele parlera a toi,
    ele dira : « Biaus filz, di moi
    de quoi tu penses, e que as ? »
    E tu li diz eneslepas
230 que tu as assez a penser,
    que tu vorroies resembler
    chevalier beste que veïs,
    e por ce eres tu pensis.
    E ele te dira briement
235 que ce li poise molt forment
    que tu as tel beste veüe,
    que autre engingne e autre tue.
    E tu li dis que par ta foi,
    que male joie avra de toi
240 si tu ne puez estre tel beste,
    e tel coiffe avoir en ta teste ;
    e des ce qu'ele ce orra,
    isnelement t'aportera
    toute autretele vesteüre,
245 cote e mantel, coiffe e ceinture,

regarda aussitôt et vit chevaucher les chevaliers sur leurs destriers, en armure complète.

— Ma parole, dit-il, je vois là les bêtes qui ont des coiffes sur la tête ! Je n'en ai jamais vu de pareilles, ni des coiffes comme celles-là. Ah, plaise à Dieu et à sa fête, si je pouvais être un chevalier-bête !

Celui qui se tenait en armes sur la rive l'interpella de nouveau :

— Serais-tu brave et hardi ?

— Oui, je vous l'affirme.

— Va-t'en, dit-il, et quand tu reverras ta mère et qu'elle te dira : « Cher fils, à quoi penses-tu ? Qu'as-tu ? » tu lui répondras que tu es préoccupé, que tu voudrais ressembler au chevalier-bête que tu as vu, que pour cette raison tu étais plongé dans tes pensées. Elle te dira en deux mots qu'elle est inquiète que tu aies vu cette sorte de bête qui trompe et tue les autres. Donne-lui alors ta parole qu'elle n'aura rien à attendre de toi, si tu ne peux pas être une bête de ce genre et avoir une coiffe sur la tête. Dès qu'elle entendra cela, elle t'apportera aussitôt tout cet équipage, cotte et manteau, coiffe et ceinture,

e chauces e lonc fust plané,
tex con tu as ci esgardé. »
        Atant Tyolet s'en depart,
qu'en meson soit molt li est tart.
250 Puis a a sa mere donné
le chevrel qu'il ot aporté,
e s'aventure li conta
tot ainsi conme il la trova.
Sa mere li respont briement
255 que ce li poise molt forment
    — que tu as tel beste veüe
qui mainte autre prent e manjue.
    — Par foi, fet il, or est ainsi :
si je tel beste con je vi
260 ne puis estre, bien sai e voi
que male joie avrez de moi. »
Mes sa mere, qant ce oï,
isnelement li respondi ;
totes les armes que ele a
265 isnelement li aporta,
qui son seignor orent esté :
molt en a bien son filz armé.
E qant el cheval fu monté,
chevalier beste a bien semblé.
270 — Sez or, biaus filz, que tu feras ?
Tot droit au roi Artur iras,
e de ce te dirai la somme :
ne t'aconpaingnes a nul homme
ne a fame ne donoier
275 qui commune soit de mestier. »
Atant s'en est de li torné,
el l'a baisié e acolé.
Tant a erré par ses jornees
que monz que terres que valees,
280 q'a la cort le roi est venu,

chausses et long bâton poli, comme tu les a vus ici.

Tyolet alors s'en alla, pressé d'arriver chez lui. Il donna à sa mère le chevreuil qu'il apportait et lui raconta l'aventure qui lui était arrivée. Sa mère lui répondit qu'elle n'était pas du tout tranquille :

— Tu as vu une bête qui attrape et dévore les autres !

— Eh bien, fit-il, c'est ainsi. Si je ne puis être une bête comme celle que j'ai vue, je sais que je vous causerai un grand chagrin.

En réponse à ces mots, elle lui apporta aussitôt toutes les armes qu'elle possédait et qui avaient appartenu à son époux. Elle en arma comme il fallait son fils. Quand il fut sur son cheval, il ressemblait parfaitement à un chevalier-bête.

— Sais-tu, cher fils, ce que tu feras ? Tu iras tout droit chez le roi Arthur, et je vais t'apprendre l'essentiel : prends garde à tes fréquentations, ne t'acoquine pas avec des femmes qui se donnent au premier venu.

Elle l'embrassa et le serra dans ses bras et il la quitta.

Il chemina tout au long de ses journées par monts et par vaux et arriva enfin à la cour du roi,

qui cortois rois e vaillanz fu.
      Li rois a son mengier seoit,
servir richement se fesoit,
e Tyolet est enz entrez
285 si conme il vint trestot armez.
A cheval vint devant le dois
la ou seoit Artur le rois.
Onques .I. mot ne li sonna,
ne noient ne l'aresonna.
290 — Amis, fet li rois, descendez,
e avec nos mengier venez,
si me dites que vos querez,
qui vos estes, quel non avez.
— Par foi, fet il, jel vos dirai.
295 que ja ançois ne mengerai.
Rois, j'ai a non chevalier beste,
a mainte en ai trenchié la teste,
e Tyolet m'apele l'on.
Molt sai bien prendre venoison.
300 Filz sui, biau sire, s'il vos plest,
a la veve de la forest ;
a vos m'envoie certement
tot por aprendre afetement.
Sens voil aprendre e cortoisie,
305 savoir voil de chevalerie,
a tornoier e a joster,
a despendrë, e a donner.
Car ainz ne fu ja cort de roi,
ne jamés n'iert si con je croi,
310 ou tant ait bien n'afetement,
cortoisie, n'ensaingnement.
Or, vos ai dit ce que j'ai quis,
rois, or me dites vostre avis.
Li rois li dit. « Dan chevalier,
315 je vos retien, venez mengier.

de ce roi vaillant et courtois : il était assis pour le repas et se faisait richement servir. Tyolet entra en armes, comme il était, il s'avança à cheval devant la table où était assis le roi Arthur, il ne lui adressa pas la parole, ne prononça pas même un seul mot.

— Ami, dit le roi, descendez de cheval. Venez manger avec nous et dites-moi ce que vous cherchez, qui vous êtes, comment vous vous appelez.

— Eh bien, je vous le dirai avant de manger. Roi, je m'appelle chevalier-bête, j'ai tranché la tête à maintes bêtes et on m'appelle Tyolet. Je sais l'art de prendre le gibier. Je suis, cher seigneur, le fils de la veuve de la forêt. Elle m'envoie à vous en toute confiance pour me former aux belles manières. Je désire apprendre sagesse et courtoisie, savoir l'art de la chevalerie, jouter au tournoi, dépenser et faire des dons ; car jamais il n'y eut ni il n'y aura, je crois, de cour royale où l'on trouve tant de bonne éducation, de courtoisie, de belles leçons qu'en la vôtre. Voilà, je vous ai dit mes souhaits, roi : donnez-moi à votre tour votre avis.

— Seigneur chevalier, dit le roi, je vous garde chez moi, venez manger.

— Sire, fet il, vostre merci. »
Tyolet donques descendi,
de ses armes s'est desarmé,
si s'est vestu e afublé
320 de cote e de mantel legier,
ses mains leve, si va mengier.
Atant es vos une pucele,
une orgueilleuse damoisele.
De sa biauté ne voil parler.
325 ....
Onques Dido, ce m'est avis,
ne Elainne n'ot si cler vis.
Fille au roi de Logres estoit,
sor .I. blanc palefroi seoit,
330 .I. blanc brachet tries soi portoit ;
une sonnete d'or avoit
pendue au col du blanc brachet.
Molt ot le poil deugié e net.
Tot a cheval en est venue
335 devant le roi, si le salue.
            — Rois Artur, sire, Dex te saut,
le tot poissant qui maint en haut.
— Bele amie, celui vos gart
qui les bons retient a sa part.
340 — Sire, je sui une meschine,
fille de roi e de roïne,
e de Logres est rois mon pere,
n'ont plus enfanz, li ne ma mere.
E si vos mandent par amor,
345 conmë a roi de grant valor,
s'il i a de vos chevaliers
nul qui tant soit hardiz ne fiers,
qui le blanc pié du cerf tranchast,
Biau sire, celui me donnast ;
350 icelui a seignor prendroie,
de nul autre cure n'avroie.

— Sire, grand merci. Tyolet descend alors de cheval, se débarrasse de ses armes, revêt une cotte et un manteau léger, se lave les mains et va manger.

Mais voici qu'arrive soudain une pucelle, une orgueilleuse demoiselle. Je ne veux pas parler de sa beauté ; ni Didon, à mon avis, ni Hélène n'eurent un si clair visage. Elle était la fille du roi de Logres[1]. Assise sur un blanc palefroi, elle portait en croupe derrière elle un chien braque blanc qui avait un grelot d'or suspendu à son cou, au poil propre et souple. Elle vint à cheval devant le roi et le salua :

— Roi Arthur, que Dieu te garde, le Tout-Puissant qui est au ciel.

— Amie chère, que vous protège Celui qui place les justes à son côté.

— Seigneur, je suis une jeune fille, fille de roi et de reine. Mon père est le roi de Logres, ma mère et lui n'ont pas d'autre enfant que moi. Ils vous demandent, avec tous les égards dus à un roi de grand prestige, si parmi vos chevaliers il en est un assez hardi et audacieux pour trancher le pied blanc du cerf. Cher seigneur, mon père me donnera ce chevalier pour époux et je l'accepterai, je n'en prendrai point d'autre.

---

1. *Logres* : désigne habituellement le royaume d'Angleterre, qui est celui du roi Arthur. Ici, c'est simplement un royaume situé en Angleterre.

Ja nus hon n'avra m'amistié,
s'il ne me donne le blanc pié
du cerf qui est e bel e grant,
355 e qui tant a le poil luisant
por poi qu'il ne semble doré ;
de .VII. lïons est bien gardé.
— Par foi, fet il rois, vos creant
que iltel soit le covenant
360 que cil a fame vos avra
qui le pié du cerf vos donra.
— E je, dan rois, si le creant
que iltel soit le covenant. »
Tel covenant ont afermé
365 e entr'eus .II. bien devisé.
En la sale n'ot chevalier
qui de rien feïst a prisier,
qui ne deïst que il iroit
quere le cerf, s'il le savoit.
370 — Cest brachet, dist el, vos menra
la ou le cerf converse e va.»
Lodoër molt le covoita,
le cerf querre premiers ala.
Au roi Artu l'a demandé
375 e il ne li a pas veé.
Le brachet prent, si est montez,
le pié du cerf est querre alez.
Le brachet qui o lui ala,
droit a une eve le mena,
380 qui molt estoit e grant e lee
e noire e hisdeuse e enflee,
qatre .C. toises ot de lé
e bien .C. de parfondee.
E le brachet en l'eve entra ;
385 selonc son sens tres bien cuida
que Lodoër enz se meïst,

Aucun homme n'aura mon amour, s'il ne me donne le
pied blanc du grand et beau cerf au poil si luisant
qu'on le dirait presque en or. Il est bien gardé par sept
lions.

— Ma foi, dit le roi, je donne mon accord à ces
conditions : celui-là vous aura pour femme qui vous
donnera le pied du cerf.

— Et moi aussi, seigneur roi, je m'engage à les respecter.

Ils conclurent entre eux cet accord. Il n'y avait dans
la salle aucun chevalier, digne d'estime, qui n'acceptât
d'aller à la recherche du cerf, s'il savait où le trouver.

— Ce chien braque, dit la jeune fille, vous mènera
là où gîte le cerf et où il va et vient.

Avant tous les autres, Lodoer qui en avait envie,
partit en quête. Il demanda cette faveur au roi Arthur
qui ne la lui refusa pas. Il prit le braque, monta à
cheval et s'en alla à la recherche du cerf. Le braque
qu'il avait emmené le mena droit à une rivière grande
et large, noire, hideuse, torrentueuse, large de quatre
cents toises[1] et profonde d'au moins cent. Le braque
entra dans l'eau et, se fiant à son instinct, crut que
Lodoer le suivrait,

---

1. *toise :* mesure de longueur qui valait quelques centimètres de
moins que deux mètres d'aujourd'hui.

mais de tot ce noient ne fist.
Il dit que il n'i enterra,
car de morir nul talent n'a ;
390 a soi redit a chief de pose :
« qui soi nen a, n'a nule chose.
Bon chastel garde, ce m'est vis,
qui garde qu'il ne soit maumis. »
Dont s'en est li brachez issuz,
395 a Lodoër est revenuz,
e Lodoër si s'en ala
e le brachet tries soi porta.
Droit a la cort en vint errant,
ou li barnages estoit grant,
400 le brachet rent a la pucele,
qui molt estoit cortoise e bele.
Dont li a li rois demandé
s'il avoit le pié aporté,
e Lodoër li respondi
405 qu'encor en ert autre escharni.
Dont l'ont par la sale gabé,
e il lor a le chief crollé,
si lor a dit que il alassent
quere le pié, si l'aportassent.
410 Quere le cerf molt i alerent
e la pucele demanderent.
N'en i ot nul qui la alast
q'autretel chançon ne chantast
con Lodïer chanté avoit,
415 qui vaillanz chevaliers estoit,
fors seulement .I. chevalier
qui molt estoit preuz e legier ;
chevalier beste ert apelé,
e Tyolet estoit nommé.
420 Cil s'en est droit au roi alé,
hastivement a demandé

mais celui-ci n'en fit rien : il se dit qu'il n'y entrerait
pas, n'ayant pas envie de mourir. Puis il se dit après
un moment de réflexion : « Qui se perd lui-même n'a
rien ! Celui qui veille à ce qu'un malheur n'arrive pas
à son château garde un bon château. » Le braque
sortit de l'eau, revint auprès de Lodoer qui s'en alla en
le portant en croupe derrière lui. Il gagna à la hâte la
cour où les barons étaient nombreux et rendit le chien
à la jeune fille qui était courtoise et belle. Le roi lui
demanda s'il apportait le pied et Lodoer répondit qu'il
laissait à d'autres que lui d'être l'objet de quolibets.
On se moqua de lui dans la salle, il se contenta de
secouer la tête : « Qu'ils aillent, leur dit-il, chercher le
pied et qu'ils le rapportent ! » Beaucoup tentèrent
l'épreuve en demandant la main de la jeune fille, mais
nul n'y alla qui ne chantât la même chanson que
Lodoer, sauf un chevalier fort brave et alerte qu'on
appelait le chevalier-bête, Tyolet de son vrai nom.

Il alla droit au roi, lui demanda tout aussitôt

que cele gardee li soit,
que le pié blanc querrë iroit.
Jamés, ce dit, ne revendra
425 devant ice que ill avra
le pié blanc destre au cerf trenchié.
Li rois li a donné congié,
e Tyolet s'est adoubé
e de ses armes bien armé.
430 A la pucele dont ala,
son blanc brachet requis li a.
El li a bonement baillié,
e il a pris de li congié.
Tant ont chevauché e erré
435 que andui sont venu au gué,
a la grant eve ravineuse
qui molt ert parfonde e hisdeuse.
Le brachet s'est en l'eve mis,
outre s'en vet, noant totdis ;
440 après lui se met Tyolet,
tant a suï le blanc brachet
sor son destrier sor coi il sist
que a la terre fors s'en ist.
Dont l'a le brachet tant mené
445 que il li a le cerf moustré.
.VII. granz lïons le cerf gardoient
e de molt grand amor l'amoient.
E Tyolet garde, sel voit
enmi .I. pré ou il paissoit,
450 n'i avoit nul des .VII. lïons.
Tyolet fiert des esperons,
devant le cerf le fet aler.
Tyolet prent lors a sifler,
e li cers molt beninement
455 vers Tyolet vient erramment.
E Tyolet .II. fois sifla,

qu'on lui gardât la pucelle, car il irait à la conquête du pied blanc. Jamais, dit-il, il ne reviendrait avant d'avoir tranché le pied droit du cerf. Le roi lui en donna la permission, Tyolet s'équipa, s'arma de pied en cap et alla demander à la pucelle son chien blanc. Elle le lui remit et il prit congé d'elle.

Après une longue chevauchée, les voici, le chien et lui, arrivés au gué, à la rivière impétueuse, profonde et effroyable. Le braque se mit à l'eau et la franchit d'un trait à la nage. Tyolet y pénétra à sa suite, monté sur son destrier et réussit à sortir sur la terre ferme. Le chien le mena jusqu'à l'endroit où il lui montra le cerf : il était gardé par sept lions pleins d'affection pour lui. Tyolet regarda, l'aperçut à la pâture au milieu d'un pré, mais il n'y avait là aucun des sept lions. Tyolet piqua des deux et se dirigea à cheval jusque devant le cerf. Il se mit alors à siffler et le cerf, bien docilement, s'approcha de lui. Au second sifflet de Tyolet le cerf s'arrêta net.

li cerf du tot donc s'aresta.
S'espee tret isnelement,
du cerf le blanc pié destre prent,
460 par mi la jointe li trancha,
dedenz sa huese le bouta.
Le cerf cria molt hautement,
e li lïon tout erroment
grant aleüre i sont venu,
465 Tyolet ont aparceü.
Uns des lïons a si navré
le cheval ou il sist armé
que la destre espaule devant
e cuir e char en va portant.
470 Qant Tyolet a ce veü,
.I. des lions a si feru
de l'espee que il porta,
que les ners du piz li trencha :
de ce lion n'ot il plus guerre.
475 Son cheval chiet soz lui a terre,
donques Tyolet le guerpi
e li lïon l'ont assailli.
De totes parz assailli l'ont
son bon hauberc rompu li ont,
480 la char des braz e des costez
en plusors leus est si navrez
a poi que il nel devoroient ;
tote la char li desciroient,
mes il les a trestoz tuez ;
485 a poi ne s'en est delivrez.
Dejoste les lïons chaï
qui malement l'orent bailli,
e de son cors si domagié ;
je par li n'ert mes redrecié.
490 Es vos errant .I. chevalier
e sist sor .I. ferrant destrier.

Tyolet tira aussitôt son épée, saisit le pied droit du cerf, le trancha à l'articulation et le glissa dans ses chausses.

Au grand cri poussé par le cerf, les lions accoururent à vive allure et aperçurent Tyolet. L'un d'eux blessa si grièvement le cheval qu'il montait en armes qu'il lui emporta avec le cuir et la chair l'épaule droite. Voyant cela, Tyolet frappa si violemment le lion de son épée qu'il lui trancha les nerfs du poitrail : ce lion-là était hors jeu. Mais son cheval tomba sous lui à terre et Tyolet dut l'abandonner. L'assaillant de tous côtés, les lions déchirèrent son bon haubert ; la chair de ses bras et de ses flancs était si lacérée en plusieurs endroits que les lions étaient sur le point de le dévorer. Malgré ses chairs déchiquetées il réussit à les tuer tous ; pour un peu il ne se débarrassait pas d'eux. Il s'affaissa près des bêtes qui l'avaient mis à mal et avaient gravement endommagé son corps. Il n'avait plus la force de se relever.

Mais voici que surgit un chevalier monté sur un destrier gris de fer.

Arestut soi, si resgarda,
molt par le plaint e regreta.
E Tyolet les eulz ouvri,
495 qui du travail ert endormi,
s'aventure li a contee,
e de chief en chief racontee ;
de sa huese le pié sacha,
e au chevalier le bailla.
500 E cil l'en a molt mercïé
car le pié a forment amé,
de lui prent congié, si s'en va.
En la voie se porpensa
que se le chevalier vivoit
505 qui le pié donné li avoit
se il ne s'en voloit fuir,
que mal l'em porroit avenir.
Ariere torne maintenant.
En pensé a, e en talent
510 que le chevalier ocirra,
jamés ne li chalangera.
Par mi le cors bien l'asena
— de cele plaie bien garra —
bien le cuida avoir ocis,
515 atant s'est a la voie mis.
Tant a son droit chemin tenu
Q'a la cort le roi est venu.
La pucele au roi demanda,
le blanc pié du cerf li mostra ;
520 mes il n'ot pas le blanc brachet
qui au cerf conduit Tyolet :
bien le garda e main e soir ;
mes de ce ne puet il chaloir.
Cil qui le pié ot aporté,
525 qui que l'eüst au cerf coupé,
par covenant velt la pucele

Il s'arrêta, regarda le spectacle et se répandit en plaintes et en regrets sur Tyolet. Celui-ci, que ses efforts avaient plongé dans le sommeil, ouvrit les yeux et lui raconta d'un bout à l'autre son aventure ; il tira le pied du cerf de ses chausses et en fit cadeau au chevalier qui l'en remercia, fort heureux de ce cadeau, prit congé et s'en alla.

En cours de route, il s'avisa que si le chevalier qui lui avait donné le pied restait en vie et ne disparaissait pas du pays, mal pourrait lui en prendre. Il fit aussitôt demi-tour, bien décidé à le tuer pour éviter toute contestation. Il le frappa en pleine poitrine (Tyolet guérira de cette blessure) et certain de l'avoir tué, il continua sa route et se rendit directement à la cour du roi.

Il demanda au roi de faire venir la pucelle à qui il montra le pied blanc du cerf, mais il ne ramenait pas le chien blanc qui avait conduit Tyolet jusqu'au cerf. Celui-ci l'avait gardé continuellement avec lui, ce dont le chevalier ne s'était aucunement soucié. Le chevalier qui avait apporté le pied, quel que fût celui qui l'avait tranché au cerf, exigea pour femme, selon les conventions,

qui tant par est e noble e bele.
Mes li rois qui tant sages fu
por Tyolet qui n'ert venu,
530 respit d'uit jors li demanda ;
adonc sa cort assemblera.
N'i avoit or fors sa mesniee
qui molt ert franche e enseingniee.
Dont a cil le respit donné
535 e en la cort tant sejorné.
Mes Gauvains, qui tant fu cortois
e bien apris en toutes lois,
est alé querre Tyolet,
car repairié fu le brachet,
540 e il l'a avec lui mené.
Tost le brachet l'a amené
qu'il l'a trové en pasmoisons
el pré dejoste les lïons.
          Qant Gauvains le chevalier voit
545 e l'ocise que fet avoit,
molt plaint le vaillant chevalier.
Sempres descent de son destrier,
molt doucement l'aresonna.
Tyolet foiblement parla
550 e, neporqant, de s'aventure
li a conté toute la pure.
Atant es vos une pucele
sor une mule gente e bele.
Gauvain gentement salua,
555 e Gauvains bien rendu li a,
e puis l'a a soi apelee,
estroitement l'a acolee,
si li prie molt doucement
e molt tres amiablement
560 qu'ele portast cel chevalier
qui molt par fesoit a proisier,

la noble et belle jeune fille. Mais le roi, dans sa grande sagesse, demanda un répit de huit jours pour Tyolet qui n'était pas encore revenu : il assemblerait alors sa cour, car il n'était pour l'heure qu'avec les gens de sa maison, gens de sage et noble compagnie. Le chevalier accepta le délai et resta en attendant à la cour.

Gauvain, le courtois, qui connaissait bien les convenances, partit à la recherche de Tyolet, emmenant avec lui le chien qui était revenu à la cour et qui le conduisit auprès de Tyolet. Il le trouva sans connaissance dans le pré, à côté des lions. Quand il vit le chevalier et le massacre qu'il avait fait, il le plaignit de tout son cœur ; il descendit immédiatement de son destrier et lui adressa doucement la parole. Tyolet ne parlait que d'une voix faible, mais lui dit cependant toute la vérité sur son aventure.

Arriva alors une pucelle sur une mule belle et fringante, elle salua avec grâce Gauvain. Il répondit à son salut, puis l'appela à lui, l'embrassa étroitement et la pria avec des paroles douces et aimables d'emporter ce chevalier digne d'estime

a la noire montaingne au miere.
E cele a fete sa proiere ;
le chevalier en a porté
565 e au mire l'a conmandé.
De par Gauvain li conmanda,
cil volentiers receü l'a.
De ses armes l'a despoillié,
sor une table l'a couchié,
570 e ses plaies li a lavees
qui molt erent ensanglentees.
Qant il l'a par trestout curé,
le sanc fegié d'entor osté,
bien a veü que il garroit,
575 au chief d'un mois tot sain seroit.
Entretant fu Gauvains venu
e en la sale descendu.
Le chevalier i a trouvé
qui le blanc pié ot aporté.
580 Tant s'est en la cort demorez
que les vuit jors sont trespassez.
Dont vint au roi, su salua,
son covenant li demanda
que la pucele ot devisé
585 e il endroit soi creanté,
qui que le blanc pié li donroit
que ele a seignor le prendroit.
Li rois dist : « Ce est verité. »
Qant Gauvains ot tot escouté,
590 eneslepas avant sailli,
e dist au roi : « N'est pas ainsi.
Se por ce non que je ne doi
ci, devant vos qui estes roi,
desmentir onques chevalier,
595 serjant, garçon ne escuier,
je deïsse qu'il mespreïst ;

chez le médecin de la Noire Montagne. Répondant à
son désir, elle emporta le chevalier et le confia au
médecin, de la part de Gauvain. Le médecin l'accueillit de grand cœur, le dépouilla de ses armes, le
coucha sur une table et lava ses plaies qui étaient
toutes pleines de sang. Quand il l'eut bien nettoyé et
enlevé le sang autour des blessures, il vit qu'il guérirait
et qu'il serait complètement rétabli au bout d'un mois.

Entre-temps Gauvain était revenu à la cour. Descendu de cheval dans la salle, il y trouva le chevalier
qui avait apporté le pied blanc. Celui-ci était à la cour
jusqu'à l'expiration des huit jours ; il alla alors trouver
le roi ; le salua et lui demanda de respecter l'engagement dont avait parlé la demoiselle et dont le roi
s'était porté garant : elle prendrait pour époux celui
qui lui donnerait le pied blanc.

— C'est vrai, dit le roi.

Gauvain qui avait écouté cette conversation bondit
sur-le-champ.

— Il n'en est pas ainsi, dit-il au roi. Bien que je ne
doive pas prendre la liberté, devant vous qui êtes roi,
de donner un démenti à un chevalier pas plus qu'à un
serviteur, à un valet, à un écuyer, je dirai que ce chevalier est un menteur :

n'onques du cerf le pié ne prist
en la maniere que il conte.
Molt fet au chevalier grant honte
600 qui d'autrui fet se velt loer
e autrui mantel afubler
e d'autrui bouzon velt bien trere
e loer soi d'autrui afere
e par autrui main velt joster
605 e hors du buisson velt trainer
le serpent qui tant est cremu.
« Or, si n'i sera ja veü,
ce que vos dites rien ne vaut.
Aillors ferez vostrë assaut,
610 aillors porchacier vos irez,
la pucele n'emporterez.
     — Par foi, fet il, Sire Gauvain,
or me tenez vos por vilain
qui me dites que n'os porter
615 ma lance en estor por joster,
bien sai trere d'autrui bouzon
e par autrui main du buisson
le serpent trere q'avez dit ?
N'est nul, si con je croi e cuit,
620 se vers moi le voloit prover
qu'en champ ne m'en peüst trover. »
     En ce qu'en cel estrif estoient,
par la sale gardent, si voient
Tyolet, qui estoit venu
625 e hors au perron descendu.
Li rois contre lui s'est levez,
ses braz li a au col getez,
puis le baise par grant amor.
Cil l'encline conme a seignor.
630 Gauvains le baise, e Uriain,
Keu, e Evain, le filz Morgain,

il n'a pas pris le pied du cerf de la façon qu'il dit. Quelle honte pour un chevalier de se vanter au détriment d'autrui, de se vêtir du manteau d'autrui, de tirer avec la flèche d'autrui, de jouter par la main d'autrui et, par la main d'autrui, de tirer hors du buisson le serpent redoutable !

Et s'adressant à l'imposteur :

— Non, on ne verra pas cela ! Ce que vous dites est faux. Allez ailleurs montrer votre bravoure, allez ailleurs chercher fortune. Vous n'emporterez pas la demoiselle.

— Ma parole, fait l'autre, seigneur Gauvain, vous me prenez pour un vilain en me disant que je n'ose pas porter ma propre lance pour jouter en duel, que je ne sais bien tirer qu'avec la flèche d'autrui et par la main d'autrui faire sortir le serpent du buisson dont vous avez parlé. Quiconque voudrait soutenir ces accusations portées contre moi pourrait, je crois, me trouver en champ clos.

Tandis qu'ils se querellaient, ils regardèrent dans la salle et virent Tyolet qui était descendu de cheval sur le perron[1]. Le roi se leva à sa rencontre, lui jeta les bras autour du cou, l'embrassa affectueusement. Tyolet s'inclina devant lui, qui était son seigneur, Gauvain l'embrassa, puis Urien, Keu, Yvain, le fils de Morgue[2],

---

1. *perron* : grosse pierre carrée qui permet au cavalier de monter plus facilement à cheval ou d'en descendre.
2. *Morgue* : la fée, la même que Morgane, présentée exceptionnellement ici comme la mère d'Yvain. Elle paraît dans un grand nombre de romans et d'écrits médiévaux, et sous un jour plutôt défavorable, ainsi dans le *Lancelot en prose* où elle poursuit de sa haine *Lancelot*.

e Lodoier l'ala besier
e tuit li autre chevalier.
Li chevaliers, qant il ce voit,
635 qui la pucele avoir voloit
par le pié qu'il ot aporté
que Tyolet li ot donné,
au roi Artur dont reparla
e sa requeste demanda.
640 Mes Tyolet, qant il ce sot
que la pucele demandot,
a lui parla molt doucement,
e li demanda benement :
— Dan chevaliers, dites le moi,
645 tant conme estes devant le roi,
par quel reson volez avoir
la pucele, je voil savoir.
— Par foi, fet il, je vos dirai :
por ce que aporté li ai
650 le blanc pié du cerf sejorné ;
li rois e li l'ont creanté.
— Trenchastes vos au cerf le pié ?
Se ce est voir, ne soit noié.
— Ouïl, fet il, je l'i trenchai
655 e ici o moi l'aportai.
— E les .VII. lions qui ocist ? »
Cil l'esgarda, nul mot ne dit,
ainz rogi molt e eschaufa,
e Tyolet dont reparla.
660 — Dan chevalier, e cil, qui fu,
qui de l'espee fu feru,
e qui fu cil qui l'en feri ?
Dites le moi, vostre merci.
Ce m'est a vis, ce fustes vos. »
665 Cil s'embroncha, molt fu hontos.
— Mes ce fut de bien fet col fret

Lodoer et tous les autres chevaliers. Voyant cela, le chevalier qui prétendait avoir la demoiselle pour lui avoir apporté le pied que Tyolet lui avait donné s'adressa au roi Arthur et formula de nouveau sa requête. Mais Tyolet, sachant qu'il réclamait la jeune fille, lui demanda sur un ton réservé et naturel :

— Seigneur chevalier, dites-moi maintenant que vous êtes devant le roi, à quel titre voulez-vous avoir la demoiselle ; j'aimerais le savoir.

— Eh bien, je vais vous le dire : c'est parce que je lui ai apporté le pied blanc du cerf, comme elle-même et le roi s'y sont engagés.

— Avez-vous tranché le pied du cerf ? Si c'est vrai, ne dites pas non.

— Oui, fait-il, je l'ai tranché et je l'ai apporté ici avec moi.

— Et les sept lions, qui les a tués ?

L'autre le regarde, sans dire un mot, mais rougit, échauffé de colère.

— Seigneur chevalier, poursuit Tyolet, qui était celui qui a été frappé de l'épée et qui était celui qui l'a frappé ? Dites-le-moi, je vous en prie. Je crois bien que c'était vous.

L'autre, honteux, baissa la tête.

qant vos feïstes tel forfet.
Bonement donné vos avoie
le pié q'au cerf trenchié avoie,
670 e vos tel loier en sousistes,
pour .I. peu que ne m'oceïstes.
Mort en dui estre voirement.
Je vos donnai, or m'en repent ;
vostre espee que vos portastes
675 tres par mi le cors me boutastes ;
tres bien me cuidastes ocirre.
Se vos ce volet escondire
de prover voiant cest barnage,
au roi Artur en tent mon gage. »
680 Cil entent qu'il dit verité,
du coup li a merci crié ;
plus doute la mort que la honte,
de rien ne contredit son conte.
Devant le roi a lui se rent
685 a fere son conmandement.
E Tyolet li pardonna
au conseil que il puis en a
du roi e de toz ses barons ;
e cil l'en vait a genoillons,
690 dont l'en eüst le pié besié
qant Tyolet l'a redrecié,
si l'en bese par grant amor ;
n'en oï puis parler nul jor.
Li chevaliers le pié li rent
695 e Tyolet donques le prent
si l'a donné a la pucele.
Fleur de lis ou rose novele
qant primes nest el tans d'esté,
trespassoit ele de biauté.
700 Tyolet l'a donc demandee,
li rois Artur li a donnee,

— Pour un tel forfait, dit Tyolet, vous méritiez de vous casser le cou. Je vous avais donné de bon cœur le pied que j'avais tranché au cerf et vous m'en avez récompensé en me tuant, ou peu s'en faut. Certainement j'aurais dû en mourir. Je vous ai donné le pied, je m'en repens à présent : vous m'avez enfoncé dans le corps l'épée que vous portiez et vous espériez me tuer ! Si vous voulez vous justifier en présence de ces barons, je tends mon gage[1] au roi Arthur.

Le chevalier entendit qu'il disait la vérité et du coup il implora le pardon ; redoutant la mort plus que la honte, il ne contredit en rien les dires de Tyolet. Devant le roi, il se rendit à lui, prêt à obéir à ses ordres. Sur les conseils du roi et de ses barons, Tyolet lui pardonna. Le chevalier tomba à ses genoux et lui aurait baisé le pied, quand Tyolet le releva et l'embrassa affectueusement. Je n'ai plus entendu parler de lui par la suite. Le chevalier lui rendit le pied, Tyolet le prit et le donna à la demoiselle. Elle dépassait en beauté la fleur de lys ou la rose nouvellement éclose, quand elle s'épanouit au printemps.

---

1. *gage :* objet — un gant par exemple — qu'on remet à qui de droit pour garantir soit une dette, soit une promesse d'être présent à une date donnée pour livrer combat à un adversaire.

e la pucele l'otroia ;
en son païs donc la mena.
Rois fu e ele fu roïne.
De Tyolet le lai ci fine.

Tyolet la demanda en mariage, le roi Arthur la lui accorda et la jeune fille y consentit. Elle l'emmena dans son pays. Il fut roi et elle fut reine.

Ici finit le lai de Tyolet.

CHI COMMENCHE LI LAIS DE L'ESPINE

LAI DE L'AUBÉPINE

Qui que des lais tigne a mençoigne,
saciés je nes tienc pas a songe ;
les aventures trespassees
qui diversement ai contees,
5 nes ai pas dites sans garant ;
les estores en trai avant
ki encore sont a Carlion
ens el moustier Saint Aaron
e en Bretaigne sont eües
10 e en pluisors lius conneües.
Por chou que les truis en memore,
vos vuel demonstrer par estore
de .II. enfans une aventure
ki tous jors a esté obscure.
15 En Bretaigne ot un damoisel,
preu e cortois e forment bel.
Nes de s'oignant, e fiex de roi,
pere e marastre ot desous soi.
Li rois l'ot cier que plus n'en ot,
20 et la roïne mout l'amot.
De l'autre part une meschine
d'autre signor ot la roïne ;
preus et cortoise ert la pucele,
e si estoit mout jovencele,
25 fille de roi et de roïne,
la coulor ot e bele e fine.
Andui furent de haut parage,
n'estoient pas de viel eage ;
li aisnés n'avoit que .VII. ans,
30 c'est cil ki estoit li plus grans.
Li doi enfant mout bel estoient ;
selonc l'entente qu'il avoient
volontiers ensanble juoient ;
en itel guise s'entramoient
35 que li uns d'aus riens ne valoit,

Le premier venu peut bien tenir les lais pour des mensonges ; je ne les tiens pas, moi, pour des rêveries. Je n'ai pas rapporté sans garants les aventures du temps passé que j'ai racontées à plusieurs reprises. Je fais état d'histoires qui sont encore conservées à Carlion dans l'église Saint-Aaron et qui sont connues en Bretagne et en beaucoup d'autres pays. Puisque je vois qu'on en a gardé le souvenir, je veux raconter en un récit l'aventure de deux enfants sur laquelle on n'a jamais fait la clarté.

Il y avait en Bretagne un damoiseau d'une grande beauté, preux et courtois, fils de roi, né d'une concubine. Son père et sa belle-mère étaient de plus haute extraction que lui. Le roi le chérissait, n'ayant pas d'autre enfant et la reine l'aimait d'une profonde affection. D'autre part, la reine avait eu d'un autre époux une fille, une pucelle sage et courtoise, une jeune jouvencelle fille de roi et de reine au teint délicat. Ces deux enfants de haute naissance n'étaient pas encore très âgés. Le garçon, l'aîné, n'avait que sept ans. Tous deux, aussi beaux l'un que l'autre jouaient volontiers ensemble en un parfait accord. Ils s'aimaient tant que chacun d'eux était désemparé,

        si li autres dalés n'estoit.
        Ensi estoient, ce me sanble,
        nourri trestout adés ensanble.
        Ensemble aloient et juoient
40   e cil ki garder les devoient
        de tout lor donnoient congié,
        ne lor faisoient nul fourkié,
        ne de boire ne de mangier,
        fors d'iax .II. ensanble couchier,
45   mes cho ne leur est pas greé.
        Tantost con furent de l'aé
        k'en soi le puist souffrir Nature,
        en bien amer misent lor cure ;
        si fu li enfantis amours
50   k'il orent maintenu tous jors ;
        une autre amors i herbeja
        que Naturë i aporta.
        N'i a celui qui ne s'en sente,
        tout i ont mise lors entente
55   de lor deduit a çou mener :
        son iax baisier e acoler.
        Tant les mena qu'al cief del tor
        les joint ensanble cele amor,
        e tous li corages d'ariere
60   lors torna en autre maniere ;
        conme cascuns plus s'aperçut
        de tant en iax l'amors plus crut.
        Mout s'entramoient loiaument ;
        s'il eüssent tel essïent
65   de bien lor amors a garder
        con il orent en iax amer,
        a painnes fussent decheü,
        mais tost furent apercheü.
        Ensi avint que li dansiax
70   ki tant estoit e preus e biax,

si l'autre n'était à ses côtés[1].

C'est ainsi qu'ils furent élevés ensemble ; ensemble ils allaient et venaient, se livraient à leurs jeux, et ceux qui devaient veiller sur eux leur laissaient toute liberté, ne les séparaient jamais pour les repas, mais, seule exception, leur interdisaient seulement de dormir ensemble. Dès qu'ils furent à l'âge où Nature le permettait, ils commencèrent à s'éveiller à l'amour, mais après ces attachements enfantins, Nature logea en eux un tout autre amour. Chacun en sentit les atteintes et ils n'eurent plus qu'un seul désir, s'embrasser et s'étreindre. Nature fit tant et si bien qu'un nouvel amour les unit et leurs sentiments prirent un autre cours. Plus chacun en prenait conscience, plus croissait leur amour. Leur amour était sincère ; s'ils avaient mis à le préserver autant de soins qu'ils en mettaient à s'aimer, ils auraient pu facilement éviter leur disgrâce, mais ils furent bientôt découverts.

Un jour, le beau et vaillant damoiseau

---

1. Le thème de l'amour de deux enfants élevés ensemble, qui s'aiment et qu'on veut séparer est un lieu commun. On le trouve, entre autres, dans *Piramus et Tisbé*, dans *Guillaume de Palerne* et dans *Floire et Blanchefleur*.

est venus de riviere un jor,
mal ot el cief por la calor.
En une cambre a recelee
por la noise e por la criee
75 priveement ala couchier
por un poi la painne abregier.
En ses cambres ot la roïne
ki mout bonement la doctrine,
devant sa mere estoit sa drue.
80 Si conme ele sot sa venue,
ni atent per ne conpaignon,
ne cele dist ni o ne non,
en la cambre s'en vait tout droit,
u ses amis el lit gisoit.
85 Il l'a lïement recheüe,
car el jour ne l'a plus veüe.
Icele qui riens ne douta
apriés lui el lit se coucha,
.C. fois le baise par douçour.
90 Trop demeurent en la folour,
car la roïne s'aparçoit ;
en la cambre le sieut tout droit,
mout soavet ses pas i atient,
fermeüre ne le detient.
95 La cambre trueve deffremee,
eneslepas est ens entree
e vait avant, ses a trovés
la u gisent entracolés ;
l'amour connut tout en apert
100 de coi li uns a l'autre sert.
Mout fu dolante la roïne,
par le puing saisist la meschine
qu'ele laidist a cele fois,
apriés la mist en grant effrois,
105 e le tint en grant desepline,

était revenu de chasser le gibier d'eau ; il avait mal à la
tête à cause de la chaleur. Il alla se coucher tout seul,
dans une chambre à l'écart, pour fuir le bruit et les
cris et soulager un peu son malaise. Son amie était
dans les appartements de la reine qui, devant elle,
faisait son éducation. Dès qu'elle apprit le retour de
son ami, sans attendre personne et sans dire un mot
elle se précipita dans la chambre où il était étendu sur
un lit. Il l'accueillit dans la joie, car il ne l'avait pas
vue de tout le jour. Sans la moindre hésitation elle
s'allongea près de lui dans le lit et il l'embrassa cent
fois tendrement.

Ils prolongèrent trop ces moments de folie, car la
reine s'en aperçut ; elle suivit sa fille jusqu'à la
chambre à pas feutrés, elle trouva la porte ouverte, et
aucun verrou ne l'en empêchant, entra, s'avança et les
trouva au lit enlacés. Elle découvrit en toute évidence
les marques d'amour que chacun prodiguait à l'autre.

Profondément irritée, elle empoigna la jeune fille,
elle l'accabla de reproches, lui inspirant une grande
frayeur, et lui imposa une lourde punition.

mout sueffre painne la meschine.
Li damoisiaus remest dolens,
qant il oï les batemens,
la desepline e le casti
110 que sa mere fasoit por li.
Ne set que fache, ne que die,
bien set k'enfin ele est traïe,
e que il est del tout traïs,
car de tout est a li fallis.
115 De s'amie fu anguissous
e de l'uevre plus vergoignous ;
de la cambre n'ose issir fors,
a duel faire livre sen cors.
    — Helas, fait il, que le ferai ?
120 Ja sans li vivre ne porai.
Diex, quel eurë e quel peciés !
Con folement me sui gaitiés !
Certes, se je ne rai m'amie,
bien sai por li perdrai la vie. »
125 Endemetiers que le duel fait,
la roïnë au roi s'en vait,
ki jure e dist conme roïne
e bien se garde la meschine :
    — Que il o ma fille ne voist,
130 car autre cose ne li loist,
c'a ma fille ne voist parler ;
pensés de vostre fil garder. »
Li rois le varlet gardera
en sa court garder le fera,
135 ensi seront bien desevré :
    — esgardés ke ce soit celé. »
Atant laissent lor parlement,
mais cil ki a duel faire entent,
por nule riens il ne demoure,
140 a sen pere vint a cele eure,

La jeune fille était effondrée, le damoiseau consterné,
quand il entendit les coups, la réprimande et la punition que la mère infligeait à sa fille. Il ne savait que
faire ni que dire, mais il savait que leur secret à tous
deux était découvert et que son amie était perdue
pour lui. Anxieux pour elle, il avait, plus encore, honte
de ce qu'il avait fait. Il n'osa pas quitter la chambre et
s'abandonna à sa douleur :

— Hélas ! dit-il, que faire ? Jamais je ne pourrai
vivre sans elle. Dieu ! Quel malheur et quelle faute !
Fou que je suis de ne m'être pas méfié ! Si je ne
retrouve pas mon amie, je sais bien qu'à cause d'elle je
perdrai la vie.

Tandis qu'il se lamentait, la reine alla trouver le roi
et le conjura avec toute son autorité de reine de surveiller la jeune fille : « que le damoiseau cesse de la
fréquenter, car son seul plaisir était de lui parler ».

— Songez à surveiller votre fils.

Le roi promit de faire garder son fils à la cour, ainsi
les jeunes gens seront séparés.

— Et veillez, ajouta-t-elle, à ce que personne n'en
sache rien.

Ils mirent là fin à leur entretien, mais le jeune
homme, plein de tristesse, vint trouver sur l'heure son
père

jentement le met a raison.
— Sire, fait il, je quier un don.
Se de rien me volés aidier,
que vous me faites chevalier,
145 car aler veul en autre terre
en saudees por pris conquerre.
Trop ai gaitié la cheminee,
s'en sai mout mains ferir d'espee. »
Li rois pas ne l'en escondist,
150 toute sa requeste li fist,
puis li a dit que il sejourt
dedens un an, ens en sa court,
entretant sive les tornois
e gart les pas e les destrois.
155   Or avient sovent en la terre
aventure, ki le va querre.
Li damoisiaus li otroia,
qui escondire ne l'osa.
En la court remest o son pere,
160 e la meschinë o sa mere.
Mais endui si gardé estoient,
parler ensanble ne pooient,
ne de riens n'avoient loisir,
ne d'iax veoir, ne d'iax oïr
165 par mesage, ne par serjant ;
tant ala l'amors destraignant.
    .VIII. jours devant le saint Jehan,
en meïsmë, en icel an
c'on fist del varler chevalier,
170 li rois est venus de cachier,
car ot prisë a grant fuison
e volatile e venison.
La nuit qant vint aprés souper,
li rois s'asist por deporter
175 sor un tapis devant le dois,

à l'instant et s'adressa respectueusement à lui :

— Seigneur, je sollicite de vous une faveur. Si vous voulez m'aider, faites-moi chevalier, car je désire aller en un autre pays pour acquérir du renom. J'ai assez vu la cheminée de ma maison et je suis ainsi malhabile à manier l'épée.

Le roi ne dit pas non et accéda à sa requête. Il lui proposa de rester un an à sa cour et pendant ce temps de suivre les tournois, de garder les passages et les défilés[1]. Les aventures ne manquaient pas au pays même, si on allait à leur rencontre. Le damoiseau accepta l'offre et demeura avec son père, la jeune fille avec sa mère. Mais tous deux étaient si bien surveillés qu'ils n'avaient possibilité ni de se voir, ni de communiquer par l'intermédiaire d'un messager ou d'un serviteur et l'amour les torturait d'autant plus.

Huit jours avant la Saint-Jean, l'année même où l'on fit chevalier le jeune homme, le roi revenait de la chasse avec un abondant butin d'oiseaux et de gibier. Le soir, après le souper, il s'assit sur un tapis, devant la table, pour se divertir,

---

1. Dans la littérature romanesque médiévale, garder les défilés et les passages est une tâche de confiance assignée aux chevaliers qui veulent prouver leur bravoure.

ot lui maint chevalier cortois,
e ensanblë o lui ses fis.
Le lai escoutent d'Aiëlis
que uns Irois doucement note,
180 mout le sonnë ens en sa route.
Apriés celi, d'autre conmenche,
nus d'iaus n'i noise ne n'i tenche ;
le lai lor sone d'Orpheÿ,
e qant icel lai ot feni,
185 li chevalier aprés parlerent,
les aventures raconterent
que soventes fois sont venues
e par Bretaigne sont veües.
Entr'iaus avoit une meschine ;
190 ele dist : au gué de l'Espine,
en la nuit de la saint Jehan,
en avenoit plus qu'en tout l'an,
mais ja nus chouars chevalier
cele nuit n'i iroit gaitier.
195   Li damoisiaus ot e entent,
que mout ot en lui hardement,
sor cho que puis qu'il çainst l'espeë,
n'ot il aventure trovee ;
or li estuet par hardieche
200 faire malvaistie ne proeche.
Apriés le conte, e la pucele,
le roi les barons apiele,
e tuit l'oent petit e grant.
— Signor, fait il, a vos me vant
205 que la nuis dist la mescine
gaitera au gué de l'Espine
e prendra illuec aventure
quels qu'ele soit, u povre u dure. »
Quant li rois l'ot, s'en ot pesance,
210 la parole tint a enfance.

ainsi que beaucoup de chevaliers de la cour. Son fils
était avec lui. Ils écoutaient le lai d'Aélis qu'un Irlandais chantait doucement en s'accompagnant de sa
rote[1]. Après ce lai, il en commença un autre dans un
parfait silence et une grande attention. Il joua le lai
d'Orphée et quand il eut fini, les chevaliers reprirent
leurs conversations et racontèrent les aventures qui
étaient arrivées et qu'on avait souvent vues en Bretagne.

Il y avait parmi eux une jeune fille qui dit qu'au gué
de l'Aubépine, la nuit de la Saint-Jean, il en arrivait
plus qu'en toute l'année, mais qu'aucun chevalier pol-
tron n'irait y faire le guet. Le damoiseau, qui ne manquait pas d'audace, écouta attentivement, car il n'avait
pas rencontré d'aventure, depuis qu'on lui avait ceint
l'épée : il lui fallait par un coup d'éclat ne pas passer
pour un lâche. A la suite du récit de la jeune fille, il
appela le roi et les barons ; tous, petits et grands, lui
prêtèrent attention.

— Seigneurs, fit-il, je me vante devant vous d'être,
pendant la nuit dont a parlé la jeune fille, à l'affût au
gué de l'Aubépine et d'y tenter une aventure, quelle
qu'elle soit, modeste ou difficile.

En l'entendant, le roi fut désolé et tint le projet
pour un enfantillage.

---

1. *rote :* instrument de musique, sorte de cithare à cinq cordes
pincées.

— Biax fils, dist il, lais ta folie. »
Cil dist qu'il ne le laira mie,
mais toute voies i ira.
Qant li rois voit qu'il nel laira,
215 ne l'en volt avant faire vié.
— Or tost, fait il, a Dieu congié,
e si soies preus e seürs,
e Diex te doinse bons eürs. »
Cele nuit alerent cochier ;
220 ensi sueffre le chevalier
dessi que fu au seme jor.
S'amie fu en grant freor,
car bien ot oï noveler
que ses amis en dut aler.
225 Icele nuit fist a estrous
gaitier au gué aventurous.
E qant li jors trait vers le soir,
li chevaliers ot bon espoir ;
de toutes armes est armés,
230 sor un bon cheval est montés,
droit au gué de l'Espine vait.
E la damoisiele, ke fait ?
Seule s'en entre en un vergier,
por son ami vuolt a proier
235 que sainc e saus Diex le ramaint.
Giete un soupir e dont se plaint,
puis s'est assise sor une ente,
a soi meïsme se demente,
e donques dist : « Pere celestre
240 se onques fu, ne ja puet estre,
c'onques avenist orement
e chou c'on prie a nule gent,
par coi nus hom fust deshaitiés,
biaux Sire, prenge t'en pitiés
245 que li miens amis od moi fust

— Cher fils, dit-il, renonce à cette folie.

Mais il répondit qu'il n'en ferait rien, qu'il y irait de toute façon. Voyant que son fils n'en démordrait pas, le roi ne s'y opposa plus.

— Eh bien, fit-il, va, à la grâce de Dieu. Sois brave et confiant. Que Dieu t'accorde bonne chance !

Tout le monde alla se coucher. Le chevalier attendit avec impatience jusqu'au septième jour. Son amie était morte de peur, car elle avait appris par ouï dire que son ami devait aller au gué. Cette nuit-là, il se tint sur le qui-vive au gué périlleux. Quand le jour tomba, il eut bon espoir. En armes, monté sur son bon cheval, il se dirigea tout droit vers le gué de l'Aubépine.

Et que faisait la demoiselle ? Elle entra seule en un verger, elle désirait prier Dieu de ramener son ami sain et sauf. Elle poussa un soupir, elle se lamenta, puis s'assit sous un arbre greffé et se désola au fond d'elle-même :

— Père céleste, dit-elle, s'il a été, s'il est possible qu'une prière apporte du réconfort, aie pitié, Seigneur,

e jou od lui, s'estre peüst.
E Diex, conseroie garie ;
nus ne set con j'ai dure vie,
e nus savoir ne le poroit,
250 fors sol ichil ki ameroit
la riens qu'il n'avroit a nul fuer,
mais cil le set trestout par cuer. »
Ensi parloit la damoisiele,
e seoit sor l'erbe noviele.
255   Assés fu quise e demandee,
mais ains ne pot estre trovee,
car ne l'i siet cose ki vive.
Tant est a s'amor ententive
e a plorer e a duel faire,
260 li jors en vait, la nuis repaire,
e donques fu auques lassee,
desous l'ente fu akeutee.
Li cuers un petit li tressaut,
illuec s'en dormi por le chaut.
265 N'i ot pas dormi longement,
mais je ne sai confaitement,
qui de desous l'ente fu prise
e au gué de l'Espine mise,
la u ses amis ciers estoit ;
270 mais ne fu gaires k'il i soit,
car repairiés est a l'espine,
dormant i troeve la meschine.
Por la freor cele s'esvelle,
ne set u est, molt s'en mervelle.
275 Son cief couvri, grant paour a,
li chevaliers l'aseüra.
— Diva, fait il, por nient t'esfroies ;
se es cose ki parler doies,
seürement parole a moi
280 por seul tant que feme te voi ;

fais que mon ami et moi soyons ensemble, si cela est possible. Dieu ! Comme je serais soulagée ! Personne ne sait la dure vie que je mène et personne ne pourrait l'imaginer, sauf celui qui aimerait un être dont il serait à jamais privé. Celui-là, oui, l'éprouverait dans son cœur.

Ainsi parlait la demoiselle, assise sur l'herbe nouvelle. On la rechercha longtemps, sans pouvoir la trouver, car personne ne savait qu'elle était là. Tandis qu'elle s'abandonnait à son désespoir d'amour, aux larmes, aux lamentations, le jour déclina et la nuit tomba. Prise de lassitude, elle s'accouda sous l'arbre, son cœur battait un peu et elle s'endormit sous l'effet de la chaleur. A peine était-elle endormie, je ne sais ni comment ni qui la prit sous l'arbre et la déposa au gué de l'Aubépine où se tenait d'ordinaire son ami. Il ne tarda pas à paraître et il trouva la jeune fille endormie. De peur elle se réveilla, ne sachant pas où elle était. Craintive et stupéfaite, elle se cacha le visage, mais le chevalier la rassura.

— Allons, fit-il, tu n'as pas à avoir peur. Si tu es capable de parler, parle-moi en toute confiance, puisque je vois que tu es une femme.

s'en Dieu as part, soies seüre,
mais que me dïes t'aventure,
par quel guise e confaitement
tu venis chi si soutieument. »
285 La meschine l'aseüra,
ses sans li mut, se li menbra
qu'ele n'estoit pas el vergier ;
dont apiele le chevalier.
— U sui ge dont ? fait la meschine.
290 — Damoisiele, au gué de l'Espine
u il avient mainte aventure,
une fois bone, autre fois dure.
— He ! Diex ! ce dist, con sui garie ;
Sire, j'ai esté vostre amie.
295 Diex a oïe ma priere. »
Ce fu l'aventure premiere
que la nuit vint au chevalier.
S'amie le ceurt embracier,
e il aprés a pié descent,
300 entre ses bras souëf le prent,
par .C. fois baise la meschine
e puis l'asiet desous l'espine.
Cele li conte tout, et dist
conment el vergier s'endormit
305 e conment il fu desi la,
e conment dormant la trova.

    Quant il ot trestout escouté,
un regart fist oltre le gué
e voit venir un chevalier
310 lance levee por gerroier.
Ses armes sont toutes vermelles,
e del cheval les deus orelles,
e li autres cors fu tous blans,
bien fu estrois desos les flans ;
315 mais n'a mie passé le gué,

Si tu es une créature de Dieu, rassure-toi, dis-moi
seulement ce qui t'arrive, comment tu es venue ici si
mystérieusement.

La jeune fille le rassure, elle se rend compte qu'elle
n'est pas dans le verger ; elle demande au chevalier :

— Où suis-je donc ?

— Demoiselle, au gué de l'Aubépine où survien-
nent maintes aventures, tantôt bonnes, tantôt mau-
vaises.

— Ah, mon Dieu ! Comme je suis hors de danger !
Seigneur, c'est moi, votre amie. Dieu a écouté ma
prière.

Ce fut la première aventure qui cette nuit arriva au
chevalier. Son amie courut l'embrasser ; il mit pied à
terre, la prit tendrement dans ses bras, lui donna plus
de cent baisers, puis la fit asseoir sous l'aubépine. Elle
lui raconta tout, comment elle s'endormit dans le
verger, ce qui s'était passé depuis ce moment,
comment il la trouva endormie.

Après avoir écouté tout ce récit, il jeta un regard de
l'autre côté du gué et vit venir un chevalier, lance
levée pour l'attaque. Ses armes étaient vermeilles ainsi
que les deux oreilles de son cheval, dont le reste du
corps aux flancs étroits était tout blanc. Mais il ne
passa pas le gué

de l'autre part s'est arresté.
 E li dansiaus dist a s'amie
que faire vieut chevalerie,
d'illuec se part, pas ne se mueve.
320 Saut el cheval, sa joste trueve,
mais primes pense lui aidier
de l'autre part au estrivier.
Tant con cheval püent randir
grans cols se vont entreferir
325 en son le vermés des escus,
que tous les ont frais e fendus ;
les hanstes furent de quartier ;
sans malmetre e sans empirier
se versent endui el sablon ;
330 n'i orent per ne conpaignon
qui les aidaist a remonter,
or penst cascuns del relever ;
li graviers fu plains e ingaus.
Qant il refurent as chevaus
335 les escus joignent as poitrines,
e baiscent les lances franines.
Li damoisiax ot honte eüe
qu'a tiere vint devant sa drue
a cele jouste premerainne.
340 Sel feri si a le demainne
que de l'escu porte les hiés,
e cil refiert lui tout adiés ;
des hanstes font les trons voler,
lequel que soit, estuet verser.
345 Ce fu cil a vermelles armes,
de l'escu guerpi les enarmes
e del corant destrier la siele.
Voiant les iex a la puciele
ses amis l'espaint el gravier,
350 par le regne prent le destrier,

et s'arrêta sur place. Le damoiseau dit à son amie qu'il voulait accomplir une prouesse : il allait s'éloigner, mais elle ne devait pas bouger de là. Il sauta sur son cheval, heureux d'avoir l'occasion de jouter, et se promit de ne pas ménager ses forces dans cette rencontre.

De toute la fougue de leurs chevaux ils échangèrent de violents coups sur leurs écus vermeils qu'ils fendirent et brisèrent. Les lances partirent en éclats. Sans graves blessures, ils se renversèrent tous les deux sur le sable, sans compagnons pour les aider à remonter à cheval. De nouveau une fois en selle, ils plaquèrent leurs écus contre leurs poitrines et abaissèrent les lances de frêne. Le damoiseau avait eu honte de toucher terre sous les yeux de son amie à cette première joute ; il frappa si habilement que le chevalier eut du mal à se préserver de son bouclier, mais lui rendit aussitôt ses coups. Ils firent voler en morceaux le bois des lances. L'un des deux devait inévitablement être désarçonné et ce fut celui aux armes vermeilles qui lâcha les courroies[1] du bouclier et vida la selle. Sous les yeux de la demoiselle, son ami précipite son adversaire sur la grève, saisit le destrier par les rênes,

---

1. *courroies* : l'écu, ou bouclier, constitué par des planches de bois doublées de cuir, est suspendu au cou par une courroie (*guige*) au cours d'une chevauchée, à moins qu'il ne soit confié à l'écuyer, porteur de l'écu. A l'attaque, le combattant glisse son bras dans la courroie fixée à l'intérieur de l'écu (*enarmes*), ce qui permet de le tenir ferme.

el gué se met, outre s'en vet,
de l'autre part gesir le let.
A s'amie vint, a l'espine,
du bon cheval li fet sesine.
355 Cil n'i jut mie longuement,
car secors ot assez briement.
Vers lui vienent dui chevalier
monter le font en .I. destrier.
Icil dui passerent le gué.
360 Li dansiaus en fu effreé
par cho qu'il n'estoient pas per,
mais ne l'en estuet pas douter ;
ja uns n'avra de l'autre aïe
se faire vieut chevalerie ;
365 faire le puet cortoisement
e cascuns par soi simplement.
Quant a cheval furent tout troi,
cortoisement e sans desroi
le gué passent li premerain.
370 Qant outre furent en ciertain
ne l'aroisonent tant ne qant
mais de jouster li font sanblant.
Li uns d'iaus fu cois e riestis,
li autres est es armes mis.
375   Courtoisement l'atent e biel
por avoir joste del dansiel.
Qant cil les voit de tel musure
isnelepas se raseüre,
e entretant s'est porpensé
380 por cho vient il gaitier au gué :
por pris e por honor conquerre.
Le vassal est alés requerre,
lance baissie, a l'escu pris,
el gravier est contre lui mis.
385 Andui por joindre ensanble m[e]urent,

entre dans le gué, le traverse, laissant le vaincu allongé de l'autre côté. Il va vers son amie, à l'aubépine, et lui remet le bon cheval.

L'autre ne reste pas longtemps à terre, il reçoit bientôt du secours. Deux chevaliers viennent vers lui et le remettent en selle sur un destrier, puis ils passent le gué. Le damoiseau en est effrayé, car ils ne sont pas à égalité avec lui, mais il n'a aucune raison d'avoir peur : chacun d'eux va combattre en vrai chevalier, sans l'aide de l'autre, chacun pour soi en toute courtoisie et en simple face à face.

Quand tous les trois sont à cheval, ils passent le gué les premiers courtoisement et sans précipitation. Une fois sur la terre ferme, ils ne lui adressent pas un mot et font mine de vouloir jouter ; mais l'un s'arrête tranquillement, alors que l'autre ajuste ses armes. Avec courtoisie il attend le damoiseau pour engager la joute avec lui. Quand ce dernier le voit si plein de mesure, il est tout de suite rassuré et se rappelle qu'il est venu au gué dans l'intention de combattre pour gagner gloire et honneur. Il va au-devant du chevalier, lance baissée, muni de son bouclier et l'affronte sur la grève. Tous deux se lancent l'un contre l'autre

es lances andui se rech[e]urent,
si que des lances font astieles
mais ne vuidierent pas les sieles.
Tant furent fort li chevalier,
390 aquastroné sont li destrier,
e cascuns a mis pié a tiere,
ot les bons brans se vont requerre.
Ja fu li caples commenciés,
e si fust li uns d'iaus bleciés
395 qant li chevaliers les depart
ki lons estoit a une part ;
d'iax .II. desoivre la mellee,
n'i ot plus colp feru d'espee.
Puis a parlé au damoisiel,
400 courtoisement li dist e bel :
— Amis, fait il, car retornés
e une fois a moi joustés,
puis nous em porons bien aler,
ne nous caut de plus demorer,
405 car la painne de cest trepas
vous ne le soufferiés pas
ains que li jours doit esclarcir
por toute la cité de Tir ;
e se vous estiés malmis
410 e par mesaventure ocis,
vostre pris ariés vous perdu,
ja ne seriés amenteü.
Nus ne savoit vostre aventure,
ains seroit a tous jors oscure ;
415 menee en seroit la pucele
od le boin destrier de Castiele
que avois conquis par proeche.
Ains mais ne vistes tel richece
car, tant que le frains li lairois,
420 ja mar que mangier li donrois,

et s'attaquent à la lance qu'ils brisent en éclats, sans
toutefois vider leur selle. Sous leurs efforts les destriers
sont renversés et chacun met pied à terre ; ils se bat-
tent avec leurs bonnes épées. Voici le combat bien
engagé : l'un d'eux aurait été blessé, quand le chevalier qui se tient loin à l'écart les sépare et met fin à la
mêlée et à leurs coups d'épée. Puis il s'adresse courtoisement au damoiseau :

— Ami, fait-il, revenez, joutez une fois avec moi,
puis nous nous en irons : nous n'avons pas envie de
rester davantage, car jusqu'au lever du jour, vous ne
résisteriez pas aux épreuves de ce mauvais passage
même si on vous donnait la cité de Tyr ; et si vous
étiez mis à mal ou tué par malchance, c'en serait fait
de votre renommée ; on ne parlerait plus de vous, personne n'aurait connaissance de votre aventure qui res-
terait à jamais ignorée. La demoiselle serait emmenée,
ainsi que le bon destrier de Castille que vous avez
conquis par votre prouesse. Vous n'avez jamais vu
pareille merveille : aussi longtemps que vous lui laisserez la bride, il sera inutile de lui donner à manger

     e tous jors l'arois cras e biel,
     ainc mais ne vistes plus isniel.
     Mais ne soiés ja esbahis
     por cho qu'estes preus e hardis,
425 puis que le frain l'avrois tolu,
     isnelement l'avrois perdu. »
     Li dammoisiax ot et entent
     qu'il parole raisnablement,
     e se c'est voirs que li destine
430 aler en vuet a la meschine.
     Mais primes vuet a lui joster,
     plus biel pora de lui sevrer,
     avec les armes prent le regne
     e prent une lanche de fraisne,
435 eslongiés s'est del chevalier
     a prendent le cors el gravier.
         Pour asanbler ensanble poignent,
     les lances baissent et eslongent.
     Desor les escus a argent
440 s'entrefierent si fierement
     que tous les ont frais e fendus,
     mais les estriers n'ont pas pierdus.
     E qant se sont si bien tenu,
     si l'a li damoisiaus feru
445 que tous en fust venus aval,
     qant au col se pent del cheval.
     E li varlers outre s'en passe,
     son escu e sa lanche quasse,
     son tour fait, cele part s'adrece,
450 e li chevaliers se redrece,
     au repairier tout prest le trueve,
     cascuns de son escu se cuevre
     e il ont traites les espees.
     Si se donnent mout grans colees
455 que de lor escus font astieles

et vous l'aurez tous les jours beau et gras. Vous n'en verrez pas de plus rapide. Mais, ne vous en étonnez pas, vous avez beau être vaillant et hardi, dès que vous lui aurez enlevé la bride, vous le perdrez aussitôt.

Le damoiseau entend que ce sont paroles raisonnables et si ce qu'il prédit est vrai, il s'en ira avec la jeune fille. Mais il veut auparavant jouter avec lui et le quitter plus dignement. Il prend ses armes et les rênes, saisit une lance de frêne, prend ses distances d'avec le chevalier. Ils s'élancent sur le gravier, piquent des deux pour s'affronter et abaissent de loin leurs lances. Ils se frappent si violemment sur les écus d'argent qu'ils les ont tout fendus et brisés, mais ils n'ont pas vidé les étriers. Ils restent fermes, mais le damoiseau lui porte un coup tel qu'il aurait abattu son adversaire sur le sol, s'il ne s'était agrippé au cou de son cheval. Le jeune homme continue sur sa lancée, brise son bouclier et sa lance, fait demi-tour, repart en direction contraire. Mais le chevalier s'est relevé, tout prêt à recommencer. Chacun se couvre de son bouclier et ils tirent les épées. Ils s'assènent de grands coups qui font voler en éclats les boucliers,

mais ne vuidierent pas les sieles.
Mout fut la mescinë effree
qu'adiés regarde la mellee,
grand paor a de son ami,
460 au chevalier crie merchi
que a lui a jousté avant
que il s'ens departist atant.

   Il fu cortois e afaitiés,
cele part vint tous eslaisciés,
465 de illuec departi se sont,
l'aighe passent, si se revont,
e li dansiaus plus ne demoure,
od s'amie vint enesleure —
paoureuse est desor l'espine —
470 devant soi lieve la meschine.
Le boin cheval en destre enmainne,
or a achevie sa painne.
Tant a erré que vint au jor
e vint a la cort son signor.
475 Li rois le voit e fu mout liés,
mais de chou s'est il mervelliés.
E cil a prise la mescine —
sire est, endroit soi la roïne.
Cel jor si con j'oï conter
480 a fait li rois sa cort mander
e ses barons e autre gent
por le droit d'un conmandement
de .II. barons ki se mellerent
e devant le roi s'acorderent.
485 Oiant toute cele asanblee
li fu l'aventure contee :
conment avint au chevalier
au gué u il ala gaitier ;
premierement de la meschine
490 qu'il la trova desous l'espine,

mais ils restent en selle.

La jeune fille est saisie de frayeur à la vue de la
mêlée, dans les transes pour son ami. Elle implore la
pitié du chevalier qui avait livré la première joute, le
suppliant de séparer les combattants. Ce chevalier
était courtois et de bonne éducation. Il accourt à bride
abattue, avec son compagnon, il quitte les lieux, passe
le gué et s'en va. Quant au damoiseau, il ne s'attarde
pas, il va vite retrouver son amie, encore tremblante
de peur sous l'aubépine, il la met sur son cheval
devant lui. Son épreuve est terminée.

Il a tant chevauché qu'au lever du jour il arrive à la
cour de son seigneur. En le voyant, le roi est rempli de
joie, mais aussi de stupéfaction, il accueille la jeune
fille en seigneur qu'il est, la reine à ses côtés. Ce
jour-là, comme je l'ai entendu raconter, le roi
convoqua sa cour, ses barons et tous ses gens, pour
régler en justice la querelle de deux barons qui se
réconcilièrent devant lui. En présence de cette assemblée on lui raconta toute l'aventure, ce qui arriva au
chevalier qui allait monter la garde au gué, sa rencontre avec la jeune fille sous l'aubépine,

puis des joustes e del cheval
que il gaaigna au vassal.
Li chevaliers, e pres e loing,
le mena puis en maint besoing
495 e richement garder le fist,
e la meschine a feme prist.
Tant garda e tint le destrier
que la dame volt assaier
    Ce c'est du cheval verité
500 que son signor a tant gardé,
le frain del cief li a tolu,
ensi ot le cheval pierdu.
De l'aventure que dit ai,
li Breton en fisent un lai ;
505 por chou qu'elë avint au gué
n'ont pas li Breton esgardé
que li lais recheüst son non,
ne fu se de l'Espine non.
Ne l'ont pas des enfans nomé,
510 ains l'ont de l'Espine apielé,
s'a a non li lais de l'Espine.
qui bien conmenche e biel define.
Chi define li lais de l'Espine.

les joutes et la conquête du cheval pris à son adversaire. Le chevalier emmena partout avec lui ce cheval
qui lui fut utile en plusieurs occasions, il lui fit prodiguer des soins attentifs. Il prit pour femme la jeune
fille. Il garda le destrier jusqu'au jour où la dame
voulut savoir la vérité sur le cheval si cher à son mari :
elle lui enleva la bride et ainsi le cheval fut perdu.

De l'aventure que je vous ai rapportée les Bretons
firent un lai. Comme elle s'était déroulée au gué, ils ne
voulurent pas lui donner d'autre nom que le lai de
l'Aubépine, mais on ne lui donna pas le nom des deux
enfants. Le lai de l'Aubépine commence et finit bien.

CHI COMENCHE MELION

LAI DE MÉLION

Al tans que rois Artus regnoit,
cil ki les terres conqueroit,
e qui dona les riches dons
as chevaliers e as barons,
5 avoit od lui .I. bacheler,
Melïon l'ai oï nomer ;
molt par estoit cortois e prous,
e amer se faisoit a tos ;
molt ert de grant chevalerie
10 e de cortoise compaignie.
Li rois ot molt riche maisnie,
par tot le mont estoit proisie
de cortoisie e de proece
e de bonté e de largece.
15 A icel jor lor veu faisoient,
e sachiés bien k'il le gardoient.
Cil Melïons .I. en voa
que a grant mal li atorna.
Il dist : Ja n'ameroit pucele
20 que tant seroit gentil ne bele,
que nul autre home eüst amé,
ne que de nul eüst parlé.
Une grant piece fu ensi.
Cil ki le veu orent oï,
25 en pluisors lieus le recorderent
e as puceles le conterent,
e qant les puceles l'oïrent
molt durement l'en enhaïrent.
Celes ki es canbres estoient
30 e ki la roïne servoient,
dont il en i ot plus de cent,
en ont tenu .I. parlement :
dïent jamais ne l'ameront,
n'encontre lui ne parleront,
35 dame nel voloit regarder,

Au temps où régnait le roi Arthur, conquérant de royaumes, qui prodiguait de riches dons aux chevaliers et aux barons, il avait auprès de lui un jeune homme du nom de Mélion. Il était brave et courtois et se faisait aimer de tous, il était d'un grand courage et d'agréable compagnie. Le roi avait une cour brillante, prisée dans le monde entier pour sa courtoisie et sa prouesse. Ce jour-là, on formait un vœu[1] et, sachez-le, on le respectait avec scrupule.

Ce Mélion en fit un qui se changea pour lui en grand malheur. Il n'aimerait jamais, dit-il, une jeune fille, si noble et si belle fût-elle, qui aurait aimé un homme ou même cité le nom d'un autre homme[2]. Du temps passa. Ceux qui avaient entendu ce vœu le rapportèrent en plusieurs lieux et en firent part aux demoiselles. En l'apprenant, elles conçurent une forte haine pour Mélion. Celles qui étaient dans les appartements au service de la reine (il y en avait plus de cent) se concertèrent et dirent que jamais elles n'aimeraient Mélion et ne lui adresseraient jamais la parole : pas une dame ne voulait le regarder,

---

1. *vœu* : c'est une variante du *gab* : à l'occasion d'une fête chaque chevalier fait le pari d'accomplir un exploit extraordinaire. De même, Mélion formule un vœu d'une intransigeance absolue.

2. *le nom d'un autre homme* : Mélion est, au masculin, le pendant du type de l'Orgueilleuse d'amour, de la demoiselle dédaigneuse ou difficile dans le choix d'un époux, comme l'est l'amie de Doon. Le Guigemar de Marie de France a certainement influencé l'auteur de notre lai pour ce caractère de Mélion.

ne pucelë a lui parler.
Qant Melïon ice oï,
molt durement s'en asopli ;
ne voloit mais querre aventure,
40 ne d'armes porter n'avoit cure ;
molt fu dolans, molt asopli ;
e de son pris alques perdi.
Li rois le sot, molt l'en pesa,
mander le fist, a lui parla.
45   « Melïons, fait li rois Artus,
tes grans sens qu'est il devenus,
ton pris e ta chevalerie ?
Di que tu as, nel celes mie.
Se tu veus terre ne manoir,
50 n'autre cose que puisse avoir,
se il est en ma roiauté,
tu l'avras a ta volenté.
Volentiers te rehaiteroie,
ce dist li rois, si jo pooie.
55 Un castel ai sor cele mer,
en tot cest siecle n'a son per,
beax est de bois e de riviere
e de forest que molt as chiere.
Cel te donrai por rehaitier,
60 bien t'i porras esbanoier. »
Li rois li a en fief doné,
Melïons l'en a mercïé.
A son castel en est alés,
.C. chevaliers i a menés.
65 Li païs bien li conteça
e la forest que molt ama.
Quant il i ot .I. an esté,
molt a le païs enamé,
car ja deduit ne demandast
70 que en la forest ne trovast.

pas une jeune fille lui parler.

Quand Mélion apprit cette décision, il en fut profondément affecté ; il n'eut plus envie de rechercher une aventure ni de porter les armes. Il était très abattu et sa renommée eut à en souffrir. Le roi le sut, il s'en émut et le fit appeler.

— Mélion, lui dit-il, que sont devenus ta sagesse, ton renom, ta bravoure ? Dis-moi ce que tu as, ne me cache rien. Si tu désires une terre ou un château ou quoi que ce soit que je possède, si c'est en mon royaume, tu l'auras à ton souhait. Je serais heureux de te rendre à la joie, si je le pouvais. J'ai un château sur cette mer, il n'a pas son égal au monde, il est magnifique, entouré de bois, de rivières, de ces forêts que tu aimes tant. Je te le donnerai pour te mettre en meilleure humeur.

Le roi lui donna un fief, Mélion le remercia et s'en alla à son château en emmenant avec lui cent chevaliers. Le pays lui plut, ainsi que la forêt qu'il aimait beaucoup. Après une année de séjour, il s'attacha à ce pays, il trouvait dans la forêt tous les plaisirs à son gré.

Un jor estoit alé chacier
Melïon e si forestier.
Od lui furent si venëor
ki l'amerent de bone amor,
75 car ce estoit lor liges sire,
totes honors en lui remire.
Tost orent .I. grant cerf trové,
tost l'orent pris e descoplé.
En une lande s'aresta
80 por sa meute k'il escouta.
Od lui estoit uns escuiers,
en sa main tenoit .II. levriers.
En la lande qu'est verte e bele
vit Melïons une pucele
85 venir sor .I. bel palefroi ;
molt erent riche si conroi.
Un vermeil samit ot vestu,
estoit a las molt bien cosu,
a son col .I. mantel d'ermine,
90 ainc meillor n'afubla roïne.
Gent cors e bele espauleüre,
s'ot blonde la cheveleüre,
petite bouche bien mollee
e comme rose encoloree,
95 les ex ot vairs, clers e rians,
molt estoit bele en tos samblans ;
seule venoit sans compaignie,
molt par fu gente e escavie.
Melïon contre lui en va,
100 molt belement le salua.
— Bele, dist il, jo vos salu
del Glorious le roi Jesu.
Dites moi dont vos estes nee,
e que ici vos a menee.
105 Cele respont : « Jel vos dirai,

Un jour, il était allé à la chasse avec ses forestiers et ses veneurs qui avaient une grande affection pour lui, car il était leur seigneur lige, un miroir de l'honneur. Ils trouvèrent vite un grand cerf, ils le prirent et le lâchèrent aussitôt. Mélion s'arrêta sur une lande pour écouter sa meute, accompagné d'un écuyer qui tenait en laisse deux lévriers. Sur la lande verte et belle Mélion vit venir une jeune fille sur un beau palefroi, en riches atours : elle était vêtue d'une soie vermeille, joliment cousue de lacets ; elle avait, attaché à son cou, un manteau d'hermine ; une reine n'en porta pas de plus beau. Ses épaules, son corps étaient ravissants, blonde sa chevelure, sa petite bouche bien dessinée, de la couleur d'une rose ; elle avait les yeux vifs, clairs et rieurs, elle était belle en tous points. Elle venait seule, sans compagnie, svelte et avenante.

Mélion alla à sa rencontre et la salua gracieusement :

— Belle, dit-il, je vous salue au nom du glorieux roi Jésus. Dites-moi où vous êtes née et ce qui vous a amenée ici.

— Je vous le dirai, répondit-elle,

que ja de mot n'en mentirai ;
je sui assez de haut parage
e nee de gentil lignage.
D'Yrlande sui a vos venue,
110 sachiés que je sui molt vo drue.
Onques home fors vos n'amai,
ne jamais plus n'en amerai.
Forment vos ai oï loer,
onques ne voloie altre amer
115 fors vos tot seul ; ne jamais jor
vers nul autre n'avrai amor. »
    Quant Melïons a antendu
que si veu erent avenu,
par mi les flans l'a enbracie,
120 e plus de trente fois baisie.
Puis a tote sa gent mandee,
l'aventure lor a contee.
Cil ont veüe la pucele,
el roialme n'avoit tant bele.
125 A son castel l'en a mené,
molt ont grant joie demené.
A grant richoise l'espousa,
e molt grant joie en demena ;
.XV. jors a li pas duré.
130 .III. ans le tint en grant chierté,
.II. fiex en ot en ces .III. ans,
molt par en fu lies e joians.
Un jor en la forest ala,
sa chiere feme ot lui mena.
135 Un cerf trova, si l'ont chacié,
e il s'en fuit, le col baissié.
.I. escuier o lui avoit
ki sa bercerië portoit.
En une lande sont entré,
140 en .I. buisson a regardé,

sans vous mentir d'un mot. Je suis de haute naissance
et d'une noble lignée. Je suis venue à vous d'Irlande et
apprenez que je suis sans partage votre amie. Je n'ai
jamais aimé personne que vous et n'en aimerai point
d'autre. J'ai souvent entendu faire votre éloge. Je n'ai
voulu aimer que vous seul et n'aurai point d'autre
amour.

Quand Mélion entend que ses vœux sont exaucés, il
la serre étroitement contre lui et l'embrasse plus de
trente fois ; puis il fait venir tous ses gens et leur conte
l'aventure. A la vue de la pucelle, ils estiment qu'il
n'en est pas d'aussi belle dans tout le royaume.
Mélion l'emmène dans son château parmi la joie et
l'épouse en des noces magnifiques. Il est au comble
du bonheur. Le pas d'armes dura quinze jours. Pendant trois ans il la chérit et il eut d'elle deux fils, ce
qui ajouta encore à son bonheur.

Il alla un jour dans la forêt, emmenant avec lui sa
chère femme. Il rencontra un cerf, ils le pourchassè-
rent et le cerf s'enfuit, le cou baissé. Mélion avait avec
lui son carquois. Ils entrèrent dans une lande. Portant
ses regards sur un fourré,

un molt grant cerf i voit estant,
sa feme regarde en riant.
— Dame, fait il, se jo voloie,
.I. molt grant cerf vos mosterroie ;
145 veés le la en cel buisson.
— Par foi, fait ele, Melïon,
sachiés se jo de cel cerf n'ai,
que jo jamais ne mangerai. »
Del palefroi chaï pasmee,
150 e Melïons l'a relevee.
Qant ne le pot reconforter,
molt durement prist a plorer.
— Dame, dist il, por Deu merci,
ne plorés mais, jo vos en pri ;
155 j'ai en ma main .I. tel anel,
ves le ci en mon doit manel ;
.II. pieres a ens el caston,
onques si faites ne vit on,
l'une est blance, l'autre vermeille,
160 oïr en poés grant merveille :
de la blance me toucerés
e sor mon chief le meterés,
qant jo serai despoilliés nus,
leus devenrai, grans e corsus.
165 Por vostre amor le cerf pendrai
e del lart vos aporterai.
Por Deu vos pri, ci m'atendés
e ma despoille me gardés.
Je vos lais ma vie e ma mort ;
170 il n'i auroit nul reconfort
se de l'autre touciés n'estoie ;
jamais nul jor hom ne seroie. »
Il apela son escuier,
si se commande a deschaucier.
175 Cil vint avant, sel descaucha,

Mélion vit un grand cerf, debout. Il regarda sa femme en riant.

— Dame, fait-il, je pourrais vous montrer un cerf énorme. Voyez-le là, dans le fourré.

— Eh bien, fait-elle, Mélion, sachez que si je ne mange pas de ce cerf, je ne mangerai plus jamais.

Et elle tomba sans connaissance de son palefroi.

Mélion la releva et, ne parvenant pas à la réconforter, se mit à pleurer amèrement.

— Dame, dit-il, par Dieu, ne pleurez plus, je vous en prie. J'ai à ma main un anneau, le voici à mon doigt ; il a en son chaton deux pierres sans pareilles ; l'une est blanche, l'autre vermeille. Apprenez-en les merveilleuses vertus. Touchez-moi de la blanche et mettez-la sur ma tête : quand, dépouillé de mes vêtements, je serai tout nu, je deviendrai un grand loup au corps puissant. Pour l'amour de vous j'attraperai le cerf et je vous apporterai de sa chair. Par Dieu, je vous prie, attendez-moi ici et gardez mes vêtements. Je vous laisse maîtresse de ma vie et de ma mort. Si je n'étais pas touché de l'autre pierre, c'en serait fini, je ne redeviendrais jamais un homme.

Il appelle son écuyer et lui ordonne de lui enlever ses chausses[1]. Celui-ci s'approche pour lui obéir.

---

1. *chausses* : les chausses enveloppent, comme nos bas d'aujour-d'hui, les pieds et les jambes, mais en montant au-dessus du genou.

e Melïon el bois entra.
Ses dras osta, nus est remez,
de son mantel s'est afublez.
Cele l'a de l'anel touchié
180 qant le vit nu e despoillié.
Lors devint leu grant e corsus,
en grant paine s'est enbatus.
   Li leus s'en vait, molt tost corant
la ou il vit le cerf gisant,
185 tost se fu en la trace mis.
Anchois sera grant li estris
que il l'ait pris ne adesé,
ne que il avra del lardé.
   La dame dist a l'escuier :
190 « Or le laissons assés chacier. »
Montee est, plus ne se targa,
e l'escuier o lui mena.
Droit vers Yrlande, sa contree
en est la dame retornee.
195 Al havne vint, nef i trova,
as mariniers tantost parla
qui l'ont mené a Duveline,
une cité sor la marine
qui son pere ert, le roi d'Yrlande ;
200 des or ot ce qu'ele demande.
Lués qu'ele fu al port venue
a grant joie fu receüe.
De li lairomes aïtant,
de Melïon dirons avant.
205   Melïon ki le cerf chaça,
a grant merveille le hasta ;
en la lande l'a conseü,
tot maintenant l'a abatu,
puis prist de lui .I. grant lardé,
210 en sa bouche l'en a porté.

Mélion entre alors dans la forêt, ôte ses vêtements et reste nu, enveloppé seulement de son manteau. Sa femme le touche, tout nu, avec l'anneau : il devient alors un loup grand et fort.

Le loup court vers l'endroit où il a vu le cerf couché et le suit à la trace, mais il aura fort à faire avant de l'avoir atteint et pris et avant d'avoir de sa chair.

— Laissons-le chasser tant qu'il voudra, dit la dame à l'écuyer[1].

Elle monte à cheval sans plus attendre, emmène l'écuyer avec elle et s'en retourne directement en Irlande, son pays. Elle arrive au port, y trouve un bateau, s'entend avec les mariniers qui la font passer à Dublin, une cité sur la mer qui appartenait à son père, le roi d'Irlande. Dès lors elle n'a rien à désirer : dès son arrivée au port, elle est accueillie dans la joie. Mais arrêtons-nous ici de parler d'elle pour parler de Mélion.

Dans sa chasse au cerf, il le presse et le poursuit sur la lande et l'abat bientôt ; il lui prend un grand morceau de viande qu'il emporte dans sa gueule,

---

1. *à l'écuyer* : la situation est celle du *Bisclavret* de Marie de France, mais alors que la conduite de la dame est ici assez inexplicable, dans le *Bisclavret* la dame effrayée par l'étrange nature de son mari, se console avec un seigneur qui l'aime depuis longtemps.

Hastivement s'en retorna
la ou il sa feme laissa ;
mais il ne l'i a pas trovee,
vers Yrlande s'en est tornee.
215 Molt fu dolans, ne set que face,
qant il ne le troeve en la place.
Mais neporqant se leus estoit,
sens e memoire d'ome avoit.
Tant atendi k'il avespra,
220 une nef vit que on charga,
ki la nuit devoit eskiper,
e en Yrlande droit aler.
Envers cele part s'en ala,
tant atendi k'il anuita,
225 entrés i est par aventure,
car de sa vie n'avoit cure.
Sos une cloie s'est muciés
e s'est tapis e enbuissiés.
Li maronier se sont hasté,
230 car molt avoient bon oré ;
lors s'en tornerent vers Yrlande,
cascuns avoit quanque demande.
Il sachierent amont lor voiles,
al ciel corent, e as estoiles,
235 e l'endemain a l'ajornee
virent d'Yrlande la contree.
E qant il sont al port venu,
Melïon n'a plus atendu,
ains issi fors de son cloier,
240 de la nef sailli el gravier.
Li maronier l'ont escrié,
e de lor aviron geté ;
li uns l'a d'un baston feru,
a poi k'il ne l'ont retenu.
245 Lies est qant lor fu escapés,

puis il retourne en hâte là où il avait laissé sa femme.
Mais il ne la trouve pas : elle était rentrée en Irlande !
Inquiet de cette absence, il ne sait plus que faire. Tout
loup qu'il était, il avait gardé les facultés d'esprit d'un
homme. Il attendit jusqu'au soir, vit un navire qu'on
était en train de charger et qui devait cette nuit
prendre la mer pour passer en Irlande. Il se dirigea de
ce côté, attendit que vienne la nuit et entra dans l'em-
barcation à ses risques et périls, n'ayant plus souci de
sa vie. Il se cacha et se tapit sous une claie. Les mariniers se dépêchèrent pour profiter des vents favora-
bles ; ils mirent le cap sur l'Irlande, comme tous le
souhaitaient. Ils hissèrent les voiles, se guidant sur les
étoiles.

Le lendemain, au point du jour, ils furent en vue
des côtes d'Irlande. Quand ils eurent abordé au port,
Mélion sortit sans attendre de dessous sa claie, sauta
hors du bateau sur la grève. Les mariniers poussèrent
des cris après lui, le frappèrent à coups d'aviron et
l'un d'eux d'un coup de bâton ; pour un peu ils le
saisissaient. Heureux de leur avoir échappé,

sor une montaigne est alés ;
molt a regardé le païs
ou il savoit ses anemis.
Encore avoit il son lardé
250 ke de sa terre ot aporté ;
grant faim avoit, si l'a mangié,
molt l'avoit la mer traveillié.
En une forest est alés,
vaches e bues i a trovés ;
255 molt en ocit e estrangla,
iluec sa guerre comencha ;
plus en i a ocis de cent
a cest premier commencement.
La gent ki estoit el boscage,
260 virent des bestes le damage ;
corant vindrent a la cité,
al roi l'ont dit e aconté
qu'en la forest .I. leu avoit
ki le païs tot escilloit,
265 molt a ocis de lor almaille ;
mais tot ce tient li rois a faille.
Tant a alé par la forest,
par montaignes e par dessert,
que a .X. leus s'acompaigna ;
270 tant les blandi e losenga
que avoec lui les a menés,
e font totes ses volentés.
Par le païs molt se forvoient,
homes e femes malmenoient.
275 Un an tot plain ont si esté,
tot le païs ont degasté,
homes e femes ocioient,
tote la terre destruioient.
Molt se savoient bien gaitier,
280 li rois nes pooit engingnier.

il gravit une colline et regarda le pays où il savait ses ennemis. Il avait encore le morceau de viande qu'il avait apporté de son pays. Il le mangea, tenaillé par la faim et épuisé par la traversée.

Il entra dans une forêt où il trouva des bœufs et des vaches et ouvrit là les hostilités : il en tua et étrangla plus de cent, pour un début. Les gens qui étaient dans le bois assistèrent au massacre des bêtes et coururent à la ville. Ils racontèrent au roi qu'il y avait dans la forêt un loup qui ravageait le pays et qui avait fait de graves dégâts dans leurs troupeaux. Mais le roi n'accorda aucune importance à leurs dires.

Mélion alla tant par les forêts, les montagnes et les plaines désertes qu'il fit de dix loups ses compagnons ; il les flatta, les caressa tant qu'il se les attacha et qu'ils firent toutes ses volontés. Ils erraient à travers le pays, hors des grands chemins, mettant à mal hommes et femmes. Tout au long d'une année ils dévastèrent le pays, tuant les gens, ruinant la région. Comme ils étaient sans cesse sur leurs gardes, le roi n'arrivait pas à les prendre au piège.

Une nuit orent molt erré,
traveillié furent e pené ;
en .I. bois joste Duveline
sor .I. tertre les la marine,
285 li bois estoit les une plaigne.
tot environ ot grant compaigne,
por reposer i sont entré ;
traï seront e engané.
Un païsant les a veüs,
290 al roi en est tantost corus.
— Sire, dist il, el bois reont
li .XI. leu colchié s'i sont. »
Qant li rois l'ot, molt en fu liés,
ses homes en a araisniés.
295   Li rois ses homes apela.
— Baron, dist il, entendés cha !
Sachiés de voir, les .XI. lous
en ma forest vit cis hom tous. »
Les rois dont soelent les pors prandre
300 environ le bois ont fait tendre.
Qant on les ot tot portendus,
lors monta, n'i atarga plus ;
sa fille dist avoec venra
e la chace des leus verra.
305 Tantost se sont el bois alé,
tot coiement e a celé ;
le bois ont tot aviroué,
car gent i ot a grant plenté
ki portent haces e maçues,
310 e li alqant espees nues.
Adont i ot .M. chiens hués
ki les leus orent tost trovés.
Melïon vit k'il ert traïs,
bien set que il est malbaillis.
315 Li chien les vont molt angoissant,

Une nuit qu'ils avaient fait beaucoup de chemin, ils étaient recrus de fatigue, harassés. Ils entrèrent pour se reposer dans un bois, près de Dublin, sur une hauteur, proche de la mer, qui surplombait une plaine ; tout autour s'étendait une vaste campagne. C'est là qu'ils furent surpris et attrapés. Un paysan les vit et courut chez le roi.

— Seigneur, dit-il, les onze loups sont couchés au Bois Rond.

A ces mots le roi, fort heureux, fit venir ses hommes.

— Seigneurs, leur dit-il, écoutez-moi bien. Sachez que cet homme a vu les onze loups dans ma forêt.

On fit tendre tout autour du bois les rets qui servaient d'ordinaire à prendre les sangliers. Cela fait, le roi monta à cheval et dit à sa fille d'aller avec lui voir la chasse aux loups. On se rendit au bois discrètement, sans faire de bruit, on le cerna avec une foule de gens qui portaient haches et massues, et quelques-uns des épées dégainées. Il y avait un millier de chiens qu'on excita et qui ne tardèrent pas à trouver les loups.

Mélion vit qu'il était découvert et se rendit compte qu'il était en danger. Les chiens serraient de près les loups

       e il vienent as roi fuiant.
       Tot sont detrancié e ocis,
       un tos seus n'en escapa vis
       fors Melïon, qui escapa,
320 par deseure les rois lança ;
       en .I. grant bois s'en est alé,
       par engien lor est escapé.
       A la cité sont rapairié,
       li rois se fait durement lié.
325   Li rois grant joie demena
       que il des .XI. leus .X. a,
       car molt bien s'est vengié des leus,
       escapés ne l'en est c'uns seus.
       Sa fille dist : « C'est li plus grans,
330 encor les fera tos dolans. »
       Qant Melïon fu escapés,
       sor une montaigne est montés ;
       molt fu dolans, molt li pesa
       de ses leus que il perdu a ;
335 molt a traveillié longement,
       mais ore avra socors briement.
       Artus en Yrlande venoit,
       car une pais faire i voloit.
       Mellé estoient el païs,
340 acorder vout les anemis ;
       Sor les Romains voloit conquerre,
       mener les voloit en sa guerre.
       Li rois venoit priveement,
       ne menoit mie molt grant gent ;
345 .XX. chevaliers od lui menoit.
       Molt fist bel tans, bon vent avoit,
       molt fu la nef e riche e grans,
       il i avoit bons esturmans ;
       molt par fu bien apareillie,
350 d'ommes e d'armes bien garnie.

qui fuyaient vers les rets. Ils furent tous tués et taillés
en pièces, aucun n'en réchappa vivant, sauf Mélion
qui réussit à s'échapper en sautant par-dessus les rets.
Sauvé grâce à son habileté, il se réfugia dans une
grande forêt. Les gens regagnèrent la cité et le roi fut
pleinement satisfait, heureux d'avoir eu raison de dix
loups sur onze ; un seul s'était tiré d'affaire.

— C'est le plus grand, dit sa fille, il nous fera
encore du mal.

Quand il se fut échappé, Mélion gravit une montagne, fort affligé et triste d'avoir perdu ses loups. Il
mena longtemps une dure existence, mais il aura
bientôt du secours. Arthur venait en Irlande pour réta-
blir la paix au pays ; les discordes y régnaient, il
désirait réconcilier les adversaires et les enrôler dans sa
guerre de conquête contre les Romains. Le roi venait
sans apparat, sans une grande suite, avec vingt chevaliers seulement. Le temps était beau, le navire luxueux
et imposant, bien équipé, avec de bons pilotes, bien
pourvu en hommes et en armes.

Lor escus furent fors pendus,
Melïons les a coneüs ;
primes conut l'escu Gawain,
e puis a ravisé l'Iwain,
355 e puis l'escu le roi Ydel ;
tot ce li plot e li fu bel.
L'escu le roi bien ravisa,
sachiés, de voir, grant joie en a ;
molt en fu liés, molt s'esjoï,
360 car encor quide avoir merci.
Vers la terre vienent siglant,
li vens lor est venus devant,
ne porent prendre cil le port ;
adont i ot grant desconfort.
365 A .I. autre port sont torné,
a .II. lieues de la cité.
Un grant castel i ot jadis,
mais ore estoit tos agastis,
e qant il furent arivé,
370 nuis estoit, si ert avespré.
      Li rois s'est al port arivés,
molt s'est traveilliés e penés,
car la nef li ot fait grant mal.
Il apela son senescal.
375 — Alés, dist il, la fors veïr
u jo porrai anuit gesir. »
Cil est a la nef retornés,
les canberlens a apelés.
— Issiés, fait il, ça fors od moi,
380 si atornés l'ostel le roi. »
Fors de la nef en sont issu,
si en sont a l'ostel venu ;
.II. chierges i ont fait porter,
molt tost les firent alumer,
385 kieutes i portent e tapis ;

Les boucliers étaient pendus au-dehors. Mélion les reconnut, et d'abord le bouclier de Gauvain, puis il distingua celui d'Yvain et celui du roi Yder ; il en éprouva une grande joie. Il distingua aussi le bouclier du roi et en fut ravi, car il pensait éveiller sa pitié. Ils faisaient voile vers la terre ferme, mais en raison du vent contraire ils ne pouvaient pas entrer au port ; découragés, ils se dirigèrent vers un autre port à deux lieues de la cité. Il y avait là jadis un grand château, à présent en ruine. Quand ils accostèrent, le soir était tombé et il faisait nuit.

Le roi aborda au port, las et épuisé par les difficultés de la traversée. Il appela son sénéchal :

— Allez, dit-il, voir là-dehors où je pourrai coucher cette nuit.

Celui-ci retourna au bateau et appela les chambellans :

— Sortez ici avec moi, dit-il, et préparez le logis du roi.

Ils sortirent du bateau et allèrent au château ; ils y firent porter deux cierges et les firent allumer ; ils apportèrent des couvertures et des tapis

hastivement fu bien garnis.
Adont s'en est li rois issus,
droit à l'ostel en est venus.
E qant il i fu ens entré
390 liés est qant si bel l'a trové.
        Melïons pas ne se targa,
tostans contre la nef ala,
pres del chastel est arestus ;
molt les a bien reconeüs.
395 Bien set, se del roi n'a confort,
qu'en Yrlande prendra la mort.
mais il ne set comment aler,
leus est, e si ne set parler ;
e nekedent tostans ira,
400 en aventure se metra.
        A l'uis le roi en est venus,
tot ses barons a coneüs.
Il ne s'est de rien arestés,
tot droit al roi en est alés,
405 As piés le roi se lait chaïr,
ne se voloit pas redrecier,
dont la veïsciés merveillier.
Ce dist li rois : « Merveilles voi !
410 Cis leus est ci venus a moi.
Or, sachiés bien qu'il est privés,
mar ert touchiés ne adesés ! »
Qant li mangier sont apresté
e li barons orent lavé,
415 li rois lava, si s'est assis,
devant ax ont les dobliers mis.
Li rois a Ydel apelé,
se l'assist joste son costé.
        As piés le roi jut Melïons,
420 bien conut trestot les barons.

et tout fut prêt. Alors le roi débarqua et entra dans son logis, content de le trouver si beau.

Sans perdre de temps, Mélion alla droit au bateau, puis s'arrêta à proximité du château et les reconnut parfaitement. Il était sûr que sans le secours du roi, il trouverait la mort en Irlande, mais il ne savait comment l'approcher. Loup qu'il était, il était privé du langage. Toutefois il ira et tentera sa chance. Le voici à la porte du roi ; il reconnut tous les barons, d'une seule traite il alla tout droit vers lui au risque de mourir. Il tomba à ses pieds et ne songea pas à se relever. C'était la stupéfaction générale.

— Voici une merveille, dit le roi, ce loup est venu jusqu'à moi ! Voyez, il est apprivoisé, ne le touchez pas, ne portez pas la main sur lui.

Quand le repas fut prêt et que les barons se furent lavé les mains, le roi se les lava à son tour et s'assit. On mit devant eux les nappes, le roi appela Yder et le fit asseoir à ses côtés. Aux pieds du roi était couché Mélion qui reconnaissait bien tous les barons.

Li rois le regarda sovent,
un pain li done e il le prent,
puis le commença a mangier.
Li rois s'en prist a merveillier ;
425 al roi Ydel dist : « Esgardés,
sachiés que cis leus est privés. »
Li rois .I. lardé li dona
e il volentiers le manga.
Lors dist Gavains : « Segnor, veés,
430 cis leus est tous desnaturés. »
Entr'aus dïent tot li baron
c'ainc si cortois leu ne vit on.
      Li rois fait aporter le vin
devant le leu en .I. bacin.
435 Li leus le voit, beüt en a,
sachiés que molt le desira ;
il a del vin assés beü,
e li rois l'a molt bien veü.
      Qant del mangier furent levé
440 e li baron orent lavé,
fors issirent sor le gravoi ;
tostans fu li leus ot le roi,
onques ne sot cel lieu aler
c'on le peüst de lui oster.
445 Qant li rois volt aler colchier,
son lit rova apareillier,
dormir s'en vait, molt est lassés,
e li leus est od lui alés ;
ainc nel pot on de li partir,
450 as piés le roi en vait gesir.
      Li rois d'Yrlande a mes eüs
c'Artus estoit a lui venus ;
molt en fu liés, grant joie en a.
Bien main a l'aube se leva.
455 deci al port en est alés,

Le roi le regarda à plusieurs reprises, il lui donna du pain et Mélion se mit à manger. Saisi d'étonnement, le roi dit à Yder :

— Regardez, soyez-en sûr, ce loup est apprivoisé.

Il lui donna un morceau de pain que le loup mangea avec appétit.

— Seigneur, dit Gauvain, voyez, ce loup n'a pas le comportement d'une bête.

Et les barons disaient entre eux qu'on n'avait jamais vu un loup si courtois. Le roi fit apporter devant le loup du vin dans un bassin ; en le voyant, le loup en but, il en avait fort envie, ce que le roi remarqua avec intérêt. Après s'être levés de table et s'être lavé les mains, les barons sortirent sur la grève ; le loup s'attachait aux pas du roi ; partout où il allait, on n'arrivait pas à l'en défaire. Quand il voulut aller se coucher, il fit préparer son lit pour dormir, car il était très fatigué : le loup le suivit encore, on ne put le séparer du roi et il se coucha à ses pieds.

Le roi d'Irlande apprit par des messagers qu'Arthur était venu à lui, il en fut très content et joyeux. Il se leva de bon matin, à l'aube, et se rendit au port avec ses barons.

ses barons a o lui menés,
tot droit al port en vint errant.
Molt s'entrefirent bel samblant,
Artus li mostra grant amor
460 e fait li a molt grant honor.
Qant il le voit a lui venir,
ne se volt mie enorgoillir,
ains leva sus, si l'a baisié.
Li ceval sont apareillié,
465 ne targent plus, ains sont monté,
ore en iront vers la cité.

      Li rois monte en son palefroi,
de son leu a pris bon conroi,
ne le voloit mie laissier,
470 il fu tos jors a son estrier.
D'Artus fu molt li rois joians,
li conrois fu riches e grans.
A Duveline sont venu
e el grant palais descendu.
475 Qant li rois monta el doignon,
li leus li tint par le giron ;
qant li rois Artus fu assis,
li leus s'est a ses pïés mis.

      Li rois a son leu regardé,
480 joste le dois l'a apelé.
Ensamble sisent li doi roi,
molt par i ot riche conroi,
molt bien servoient li baron ;
de totes pars par la maison
485 servi furent a grant plenté.
Mais Melïon a regardé,
enmi la sale ravisa
celui ki sa feme enmena.
Bien sot la mer estoit passés
490 e en Yrlande estoit alés.

Ils se firent l'un à l'autre bel accueil. Arthur lui
témoigna une grande affection et le combla d'égards.
Le voyant venir à lui, il ne voulut pas se montrer
distant, mais il se leva et l'embrassa. Les chevaux
étaient tout prêts, on monta aussitôt en selle pour se
diriger vers la cité.

Sur son palefroi le roi prenait soin de son loup,
soucieux de ne pas l'abandonner, et la bête ne quittait
pas son étrier. Le roi d'Irlande était content de la
venue d'Arthur, c'était un magnifique et imposant
cortège. Parvenus à Dublin, ils mirent pied à terre
devant le grand palais. Quand Arthur monta dans le
donjon, le loup le tint par le pan de son vêtement ;
quand le roi s'assit, le loup se mit à ses pieds. Le roi le
regarda et lui fit signe de venir près de la table où
étaient assis les deux rois.

Il y eut un somptueux et plantureux festin dont le
service était assuré par les barons ; dans tout le palais
on fut servi avec abondance. Regardant à travers la
salle, Mélion aperçut celui qui avait emmené sa
femme, certain qu'il avait passé la mer pour aller en
Irlande.

Par l'espaule le vait saisir,
cil ne se pot a lui tenir ;
en la sale l'a abatu,
ja l'eüst mort e confondu.
495 ne fuissent li sergant le roi
qui la vindrent a grant desroi ;
de totes pars par le palais,
fus aporterent e gamais.
Ja eüsent le leu tué,
500 qant li rois Artus a crié :
— Mar ert touchiés, fait il, par foi !
Sachiés que li leus est a moi.
Dist Ydel, li fiex Yrïen :
— Segnor, ne faites mie bien ;
505 s'il nel haïst, nel touchast pas.
E dist li rois : « Ydel, droit as. »
Artus s'en est del dois tornés,
deci al leu en est alés ;
al vallef dist : « Tu jehiras
510 porcoi t'a pris ou ja morras. »
Melïons le roi regarda,
celui estraint, e il cria.
Cil a le roi merci rové,
dist k'il contera verité.
515 Maintenant a le roi conté
comment la dame l'ot mené,
comment del anel le toucha
e en Yrlande l'enmena.
Tot li a dit e coneü,
520 comment li estoit avenu.
Artus a le roi apelé :
— Or sai bien que c'est verité ;
de mon baron m'est il molt bel.
Faites moi delivrer l'anel
525 e vo fille, ki l'enporta ;

Il va le saisir par l'épaule et l'autre ne peut lui opposer aucune résistance. Il l'abat au beau milieu de la salle et il l'aurait tué sans les serviteurs du roi qui accourent en pleine confusion. De toutes parts, à travers le palais ils apportent des bâtons et des pieux. Ils auraient sur-le-champ mis à mort le loup, quand le roi Arthur s'écrie :

— Ne le touchez pas, je vous en conjure ! Ce loup est à moi !

— Seigneurs, dit Yder, le fils d'Urien, vous agissez mal. Si le loup n'avait pas de haine pour cet homme, il ne l'aurait pas touché.

— Yder, dit Arthur, vous avez raison.

Et il quitte la table pour aller vers le loup.

— Tu vas avouer, dit-il à l'homme, pourquoi il t'a attaqué ou tu mourras tout de suite.

Mélion pose ses regards sur le roi, sans lâcher l'homme qui pousse un cri, implore la pitié du roi et dit qu'il racontera toute la vérité. Il raconte, en effet, comment la dame l'emmena en Irlande, après avoir touché son époux de l'anneau ; il fait l'aveu de tout ce qui s'était passé.

— Je suis sûr, dit Arthur en s'adressant au roi d'Irlande, que c'est la vérité. Je suis rassuré à présent sur le sort de mon vassal. Faites-moi apporter l'anneau, faites venir votre fille qui l'a emporté,

malvaisement engignié l'a. »
Li rois s'en est d'iluec tornés,
en sa cambre s'en est entrés,
le roi Ydel o lui mena.
530 Tant le blandi e losenga
qu'ele li a l'anel doné ;
il l'a al roi Artu porté.
Si tost con l'anel a veü
Melïon l'a bien coneü,
535 al roi vint, si s'agenoilla
e ans .II. les piés li baisa.
Li rois Artus le vout touchier,
Gavains nel volt pas otroier.
— Biaus oncles, fait il, non ferés !
540 En une chambre l'en menrés,
tot seul a seul priveement,
que il n'ait honte de la gent. »
      Li rois a Gavain apelé,
si a od lui Ydel mené ;
545 en une cambre l'en mena,
qant il fu ens, l'uis si ferma.
L'anel li a sor le chief mis,
d'ome li aparut le vis,
tote sa figure mua,
550 lors devint hom e si parla.
As piés le roi se lait cheïr,
d'un mantel le firent covrir.
Qant le virent home formé,
molt ont grant joie demené.
555 De pitié li rois en plora,
e en plorant, li demanda
comment li estoit avenu,
par pechié l'avoient perdu.
Son canberlenc a fait mander,
560 riches dras li fist aporter ;

elle a cruellement trompé son époux.

Le roi se rend ensuite dans sa chambre avec Yder. Il cajole et flatte tant sa fille qu'elle lui donne l'anneau et il l'apporte au roi Arthur.

A la vue de l'anneau Mélion le reconnut aussitôt, il vint s'agenouiller aux pieds du roi et les lui baisa. Arthur voulait le toucher de l'anneau, mais Gauvain s'y opposa :

— Cher oncle, dit-il, n'en faites rien ! Emmenez-le dans une chambre en tête à tête pour lui éviter d'avoir honte devant les gens. Le roi appela Gauvain et, avec lui, emmena Yder et fit venir le loup dans la chambre. Une fois là, il ferma la porte et mit l'anneau sur la tête du loup. Alors apparut un visage d'homme, et toute son apparence changea : il reprit forme humaine et retrouva l'usage de la parole. Mélion tomba aux pieds du roi, on le couvrit d'un manteau. Quand ils le virent transformé en homme, ils manifestèrent une grande joie. D'émotion le roi eut les larmes aux yeux et lui demanda en pleurant comment cela était arrivé, par quelle faute ils l'avaient perdu. Il manda son chambellan, fit apporter de riches vêtements

bien le vesti e conrea
e en la sale le mena.
Mèrveillié sont par la maison
qant voient venir Melïon.
565   Li rois a sa fille amenee,
al roi Artus l'a presentee,
a tote sa volenté faire,
voille l'ardoir, voille desfaire.
Melïons dist : « Jel toucherai
570 de la piere, ja nel lairai.
Artus li a dit : « Non ferés !
por vos beaus enfans le lairés. »
Tot li baron l'en ont proié,
Melïon lor a otroié.
575 Li rois Artus tant demora
que la guerre tot acorda.
En sa contree en est alé,
Melïon a od lui mené ;
molt en fu liés, grant joie en a,
580 sa feme en Yrlande laissa,
a deables l'a commandee ;
jamais n'iert jor de li amee,
por ce qu'ele l'ot si bailli
con vos avés el conte oï ;
585 ne le volt il onques reprendre,
ains le laissast ardoir u pendre.
Melïons dist « Ja ne faldra
que de tot sa feme kerra,
qu'en la fin ne soit malbaillis ;
590 ne doit pas croire tos ses dis. »
Vrais est li lais de Melïon,
ce dïent bien tot li baron.

Explicit de Melion

Chi fine Melion

dont il le vêtit et le para, puis le conduisit dans la salle. Toute la maison fut émerveillée en voyant venir Mélion.

Le roi d'Irlande amena sa fille et la présenta à Arthur pour qu'il disposât d'elle comme il le voudrait : qu'il la condamne au bûcher ou qu'il la mette à mort.

— Je la toucherai avec la pierre, dit Mélion, il n'en sera pas autrement.

— Non, dit Arthur, vous ne le ferez pas à cause de vos beaux enfants.

A la supplique de tous les barons Mélion se laissa fléchir. Le roi Arthur resta en Irlande le temps nécessaire pour mettre fin à la guerre par un accord. Puis il revint dans son royaume emmenant avec lui Mélion, qui en fut fort heureux. Il laissa sa femme en Irlande et la voua à tous les diables : jamais il ne pourrait l'aimer, pour l'avoir traité comme vous l'avez entendu dans ce conte. Il refusa de la reprendre : qu'on la brûle ou qu'on la pende, peu lui importait ! « Qui croira sa femme aveuglément, dit-il, en sera fatalement la victime. Il ne faut pas croire tout ce que femme dit. »

Tel est le véridique lai de Mélion, comme l'affirment les barons. Il se termine ici.

C'EST LE LAY DE DOON

LAI DE DOON

Doon, cest lai sevent plusor :
n'i a gueres bon harpëor
ne sache les notes harper ;
nes ie vos voil dire e conter
5 l'aventure dont li Breton
apelerent cest lai Doon.
Ce m'est a vis, se droit recort,
les Daneborc qui est au nort
manoit jadis une pucele
10 a merveille cortoise e bele.
Le païs ot en heritage,
n'i orent autre seignorage,
e a Daneborc conversoit :
ce ert le leu que molt amoit.
15 Por li e por ses damoiseles
fu dit le Chastel as Puceles.
La pucele dont je vos di,
por sa richesce s'orgueilli,
toz desdaignoit ceus du païs.
20 N'en i ot nul de si haut pris
qu'ele vousist amer ne prendre,
ne de li fere a li entendre ;
ne se voloit metre en servage
por achoison de mariage.
25 Tuit li preudomme de la terre
sovent l'en alerent requerre,
seignor voloient qu'el preïst,
mes el du tout les escondist.
Ja ne prendra, ce dit, seignor,
30 se tant ne feïst por s'amor
qu'en .I. seul jor vosist errer
de Sothantone sor la mer
desi que la ou ele estoit :
ce lor a dit, celui prendroit.
35 Par tant se cuidoit delivrer
e cil la lessierent ester ;

Beaucoup de personnes connaissent le lai de Doon,
tout bon harpiste sait en jouer la mélodie, mais je veux
vous conter l'aventure à laquelle les Bretons ont
donné le nom de « lai de Doon ».

Si je ne me trompe, près d'Edimbourg, une ville du
Nord, vivait une jeune fille merveilleusement belle et
courtoise. Elle était l'héritière du royaume, il n'y avait
pas d'autre seigneur et elle habitait Edimbourg, parce
que ce lieu lui plaisait beaucoup : à cause d'elle et de
ses demoiselles on l'appelait le Château des Pucelles.

Celle dont je vous parle était fière de ses richesses et
dédaignait tous les jeunes gens du pays. Il n'y en avait
aucun de si illustre renom qu'elle voulût aimer ou
prendre pour époux ni se l'attacher et elle refusait de
vivre en servitude sous prétexte de mariage. Tous les
personnages importants du pays allaient souvent l'en
prier, ils souhaitaient la voir mariée, mais elle leur
opposait un refus formel. Elle ne prendrait, disait-elle,
pour mari que celui qui par amour pour elle accepte-
rait de faire en un seul jour le trajet de Southampton-
sur-mer jusqu'à sa résidence. Celui-là, disait-elle, elle
le prendrait pour époux, pensant ainsi se débarrasser
des importuns. Ils la laissèrent tranquille.

mes ne pot remanoir ensi.
Qant cil du païs l'ont oï,
— la verité vos en dirai —
40 plusor se mistrent en essai
par les chemins qu'errer devoient,
sus granz chevaus tantost montoient
e fors e bons por bien errer,
car ne voloient demorer.
45 Li plusor n'i porent durer,
ne la jornee parerrer.
De tex i ot qui parvenoient,
mes las e traveilliez estoient.
Qant ill estoient descendu
50 e au chastel amont venu,
la pucele contre eus aloit,
molt durement les ennoroit ;
puis les fesoit par eus mener
en ses chambres por reposer ;
55 liz lor fesoit apareillier
por eus ocirre e engingnier,
de bones coutes, de bons dras.
Cil qui pené furent e las,
se couchierent e se dormoient ;
60 el soëf lit dormant moroient.
Li chanbellenc mort les trovoient
e a lor dame racontoient,
e cele en ert durement lie
por ce que d'eus estoit vengie.
65   Loing fu portee la novele
de l'orgueilleuse damoisele.
En Bretaigne dela la mer
l'oï .I. chevalier conter,
qui molt estoit preuz e vaillanz,
70 sage e cortois e enprenanz :
Doon avoit non le vassal.

Mais les choses n'en restèrent pas là. Quand les gens du pays apprirent cela — je ne vous dis que la vérité — plusieurs tentèrent l'épreuve en suivant l'itinéraire imposé ; ils montaient de grands et forts et bons chevaux pour s'assurer un rapide trajet et ne pas prendre de retard. La plupart ne purent accomplir ni réussir le voyage dans la journée. Ceux qui y parvenaient étaient épuisés, à bout de forces. Quand ils avaient mis pied à terre et qu'ils étaient montés au château, la demoiselle allait à leur rencontre, les accueillait avec honneur, puis les faisait conduire, tout seuls, dans ses appartements pour leur faire prendre du repos. Pour les laisser périr traîtreusement, elle faisait préparer des lits avec de bons draps et de bonnes couvertures. Ces malheureux, complètement brisés de fatigue, se couchaient, dormaient et mouraient pendant leur sommeil dans leur lit douillet. Les chambellans les trouvaient morts et allaient en porter la nouvelle à leur dame, fort satisfaite de sa vengeance.

La rumeur au sujet de l'orgueilleuse demoiselle se répandit au loin. En Bretagne, au-delà de la mer, un chevalier hardi et vaillant, sage, courtois et entreprenant, en entendit parler ; il s'appelait Doon.

Icil avoit .I. bon cheval,
Baiart ot non, molt fu isniaus,
il ne donast por .II. chastiaus.
75 Por l'afiance du destrier
voudra cele oevre commencier
por la meschine e por la terre,
savoir s'il le porra conquerre.
A l'ainz qu'il pot, est mer passez,
80 a Sushantone est arivez.
A la damoisele envoia,
par son mesage li manda
qu'el païs estoit arivez,
envoiast li de ses privez
85 qui le deïssent verité
q'au jor qu'il lor avoit nommé.
Qant ele vit ses mesagiers
a lui envoia volentiers ;
le jor li a nommé e mis
90 qant el vendra en son païs.
Ce fu .I. samedi matin
que Doon s'est mis el chemin ;
tant erra que en la vespree
ot parfornie sa jornee
95 e a Daneborc est venuz ;
a grant joie fu receüz.
Li chevalier e li sergant,
n'i ot .I. seul, petit ne grant,
ne l'ennorast e nu servist
100 e bel semblant ne li feïst.
Qant a la pucele a parlé,
en une chambre l'ont mené
por reposer qant lui plera ;
li chevalier lor commanda
105 que seche buche li trovassent
e en la chambre l'aportassent,

Il possédait un bon cheval du nom de Bayard, très rapide, qu'il n'aurait pas donné pour deux châteaux. Confiant dans son destrier, il décida de relever le défi, pour voir s'il pourrait faire la conquête de la jeune fille et de son royaume. Dès que possible il passa la mer et aborda à Soupthampton. Il envoya à la demoiselle son messager et l'informa de sa prochaine arrivée, la priant de lui envoyer quelques-uns de ses hommes de confiance pour attester qu'il était bien parti au jour fixé pour son départ. Quand elle vit le messager, elle envoya de ses gens pour préciser le jour où Doon devait arriver dans son pays.

Un samedi matin Doon se mit en route. Il chevaucha si bien que le soir même il avait accompli le trajet. Parvenu à Edimbourg, il y fut reçu dans la joie. Parmi les chevaliers et les serviteurs, pas un seul, grand ou petit, qui ne l'honorât, ne se mît à son service et ne lui fît bon accueil Après un entretien avec la demoiselle, on le mena dans une chambre pour se reposer, s'il en avait envie. Le chevalier demanda de lui trouver et de lui apporter dans sa chambre des bûches bien sèches,

          puis le lessassent reposer,
          car traveilliez ert de l'errer.
          Cil ont fete sa volenté ;
110   il a l'uis clos e bien fermé,
          ne velt pas que nus d'eus l'agait.
          O .I. fusil a du feu fait,
          pres du feu vint, si se chaufa ;
          onques la nuit ne se coucha
115   el lit qu'il ot apareillié.
          C'il qui fu las e traveillié
          en ce bon lit voloit jesir,
          molt tost l'em pot mesavenir.
          Qui plus dur gist, tant se deult mains
120   e plus hastivement est sains.
          Au matin, qant il ajorna
          il vint a l'uis, sel desferma,
          el lit coucha, si se covri,
          se bons li fu, si se dormi.
125   Cil le cuiderent mort trover
          qui la chambre devoient garder ;
          mes il le virent tot hetié,
          entr'eus en sont joieus e lié.
          A prime de jor est levé,
130   si s'est vestu e afublé ;
          a la pucele vet parler
          e ses covenanz demander.
          La pucele li respondi :
          — Amis, ne puet pas estre ensi ;
135   plus vos estovra traveillier
          vostre cors e vostre destrier.
          En .I. jor vos estuet errer
          tant comme .I. cisnes puet voler ;
          puis vos prendré sanz contredit. »
140   Il en a demandé respit
          tant que Baiart soit sejorné

puis de le laisser se reposer, car le trajet l'avait fatigué.

On satisfit ses désirs. Il ferma solidement la porte, ne voulant pas être épié. Avec un briquet il fit du feu, s'approcha de la flamme et se chauffa. De toute la nuit il ne se coucha pas dans le lit qu'on lui avait préparé : si, recru de fatigue, il avait profité de ce bon lit, il n'aurait pas tardé à lui arriver malheur. Plus on couche sur la dure, moins on sent sa lassitude et plus rapidement on recouvre ses forces.

Le matin, quand il fut jour, il alla ouvrir la porte, se coucha dans le lit, se couvrit confortablement et s'endormit. Les gardiens de la chambre qui pensaient le trouver mort le virent en parfaite santé et ils s'en réjouirent. Il se leva à la première heure, s'habilla, fit sa toilette et alla trouver la demoiselle pour lui demander de tenir sa promesse.

— Ami, répondit-elle, il ne peut en être ainsi, il faudra mettre à la peine votre personne et votre destrier : en un seul jour vous devrez aller aussi vite qu'un cygne peut voler. Alors je vous prendrai pour époux sans réserve.

Il demanda un délai, le temps que Bayard se repose

       e il meïsme reposé.
       Au qart jor fu li termes pris.
       Doon fu a la voie mis.
145 Baiart erre, le cisne vole,
       c'est merveille qu'il ne l'afole ;
       le cisne ne pot tant voler
       comme Baiart pooit errer.
       La nuit sont en .I. leu venu
150 a un chastel qui riche fu ;
       ilec est il bien herbergiez
       e son cheval bien aaisiez.
       Tant con lui plot, s'i sejorna,
       qant bon li fu, si s'en ala
155 e a Daneborc est alez
       ses covenanz a demandez.
       Cele nu pot avant mener,
       toz ses barons a fet mander.
       Par lor conseil a Doon pris,
160 seignor l'a fet de son païs.
              Qant espousee ot la pucele,
       .III. jors tint cort e grant e bele.
       Au qart s'est par matin levez,
       son cheval li est amenez
165 sa fame a a Dieu commandee,
       q'aler s'en velt en sa contree.
       La dame pleure e grant duel fet
       de ce que ses amis s'en vet,
       merci li crie doucement
170 mes ce ne li valut noient,
       de remanoir merci li crie
       e bien li dit qu'il l'a traïe.
       Il ne la volt de rien oïr,
       car tart li est du departir.
175 — Dame, fet il, je m'en irai,
       ne sai se mes vos troverai.

et que lui-même reprenne haleine. Le départ fut fixé au quatrième jour. Doon se mit en route ; Bayard galopait, le cygne volait et, merveille ! sans exténuer le cheval qui courait plus vite que le cygne ne volait. A la nuit ils arrivèrent à un magnifique château où Doon trouva un bon logis et son cheval une bonne écurie. Il y resta aussi longtemps qu'il lui plut. Quand il en eut envie, il s'en alla, revint à Edimbourg et exigea qu'on tînt la promesse faite. La belle ne put plus se jouer de lui, elle manda ses barons, sur leurs conseils elle prit Doon pour époux et fit de lui le seigneur du pays.

Quand il eut épousé la demoiselle, Doon tint pendant trois jours une solennelle cour plénière. Le quatrième jour il se leva de bon matin, on lui amena son cheval, il recommanda sa femme à Dieu, décidé à rentrer dans son pays. La dame était en larmes, désolée du départ de son ami. Elle l'implora tendrement, mais en vain. Elle le supplia de rester, disant qu'elle était trahie. Il ne voulut rien entendre, impatient de partir.

— Dame, dit-il, je m'en vais, je ne sais si je vous retrouverai un jour.

Vos estes ençainte de moi,
.I. filz avrez, si con je croi,
mon anel d'or li garderoiz ;
180 qant il ert granz, si li donroiz,
bien li commandez a garder :
par l'anel me porra trover.
Au roi de France l'envoiez,
la soit norriz e enseingniez. »
185 L'anel li baille, ele le prent ;
atant s'em part, plus n'i atent,
alez s'en est, plus n'i remaint.
Molt est dolenz e molt se plaint ;
ençainte fu, c'est veritez.
190 Au terme que son filz fu nez,
grant joie en orent si ami.
Tant le garda, tant le cheri,
que li enfés pot chevauchier,
aler em bois e rivoier.
195 L'anel som pere li bailla
e a garder li commanda.
Li vallez fu apareilliez
e au roi de France envoiez ;
assez porta or e argent,
200 si despendi molt largement
en la cort se fist molt amer
car il ert larges de donner ;
molt fu de bon afetement.
En France fu si longuement
205 que li rois en fist chevalier
e il erra por tornoier,
querant son pris e pres e loing.
N'oï parler de nul besoing
ne vosist estre li premiers,
210 molt fu amez de chevaliers ;
a merveille fu de grant pris,

Vous êtes enceinte de moi, vous aurez un fils, je pense ; vous lui garderez mon anneau d'or. Quand il sera grand, vous le lui donnerez et vous lui recommanderez de le garder. Cet anneau lui permettra de me retrouver. Envoyez-le chez le roi de France où il sera élevé et éduqué.

Il lui donna l'anneau, elle le prit et il s'éloigna sans attendre davantage. Attristée, elle se répandit en plaintes, elle était en effet enceinte. A la naissance de son fils ses proches éprouvèrent une grande joie. Elle le garda auprès d'elle, l'entourant d'affection jusqu'à ce qu'il fût en âge de monter à cheval, d'aller chasser en forêt ou au gibier d'eau. Elle lui donna l'anneau de son père en lui recommandant de bien le conserver. Le jeune homme fut équipé et envoyé chez le roi de France, il emporta beaucoup d'or et d'argent, fut généreux dans ses largesses et se fit ainsi beaucoup aimer à la cour. Il distribuait des dons sans compter, il était d'une parfaite éducation.

Il resta assez longtemps en France pour que le roi le fît chevalier et il fréquenta les tournois à travers le pays, veillant à son renom au près et au loin. Quand il entendait parler de quelque besoin, il était le premier à porter secours. Il s'attira l'affection des chevaliers et acquit une belle réputation.

n'ot si vaillant homme el païs,
de chevaliers ot grant compaingne.
Au mont Saint Michiel en Bretaingne
215 ala li vallez tornoier,
as Bretons se volt acointier.
N'i ot .I. seul tant i jostast
ne de sa main tant gaaingnast.
Ses peres ert de l'autre part,
220 molt durement li estoit tart
qu'il eüst josté au vallet,
lance levee, el ranc se met ;
envie avoit du bien de lui.
De grant eslais muevent andui,
225 granz cox se sont entreferu,
le filz a le pere abatu.
S'il seüst que son pere fust,
molt li pesast que fet l'eüst ;
mes il ne sot que il estoit
230 ne Doon ne le connoissoit ;
el braz le navra durement.
Au partir du tornoiement
Doon fet le vallet mander
que il venist a lui parler,
235 e cil i vait a esperon
e Doon l'a mis a raison.
— Qui es tu, fet il, biaus amis,
qui de mon cheval m'as jus mis ?
Li damoisiaus a respondu :
240 — Sire, ne sai comment il fu ;
ce sevent cil qui furent la. »
Doon l'oï, si l'apela.
— Mostre ça tost, fet il, tes mains. »
Li vallez ne fu pas vilains,
245 ses ganz oste hastivement,
an .II. ses mains li mostre e tent.

Il n'y avait dans le royaume homme aussi vaillant que
lui, toujours entouré d'une nombreuse compagnie de
chevaliers.

Il alla participer à un tournoi au Mont Saint-Michel
en Bretagne, désireux de faire la connaissance des
Bretons. Personne n'engagea autant que lui de joutes
et n'eut autant de succès. Son père se trouvait dans le
camp adverse, impatient de se mesurer avec ce jeune
homme. Lance levée, il se rangea, jaloux de la bravoure de cet adversaire. Ils se lancèrent l'un contre
l'autre et à bride abattue échangèrent de formidables
coups. Le fils renversa le père ; s'il avait su que c'était
son père, il l'aurait profondément regretté, mais il
l'ignorait et Doon ne connaissait pas son fils qui le
blessa grièvement au bras.

A la fin du tournoi, Doon fit venir le jeune homme
pour lui parler, celui-ci accourut et Doon lui
demanda :

— Qui es-tu, ami cher, toi qui m'as abattu de mon
cheval ?

— Seigneur, répondit le damoiseau, je ne sais pas
comment cela est arrivé ! Ceux qui étaient là le savent
peut-être.

A ces mots, Doon l'interpella de nouveau :

— Montrez-moi vos mains, dit-il.

Le jeune homme n'était pas un malappris : il ôta
aussitôt ses gants, lui montra et lui tendit ses deux
mains.

Qant vit les mains au damoisel,
en son doit reconnut l'anel
qu'il ot a sa fame baillié,
250 molt ot le cors joieus e lié.
Par l'anel que il a veü
a bien son filz reconneü
que ses filz ert, il l'engendra.
Oiant toz, li dit e conta :
255 — Vallet, fet il, bien m'aparçui
qant tu jostas a moi jehui,
que tu eres de mon lingnage ;
molt a en toi grant vasselage.
Onques por coup a chevalier
260 ne chaï mes de mon destrier,
ne jamés nul ne m'abatra,
ja si grant coup ne me donra.
Vien moi besier, je sui ton pere ;
molt est orgueilleuse ta mere,
265 par grant travail la porchaçai.
Qant prise l'oi, si m'en tornai,
onques puis ne la regardai ;
cel anel d'or li commandai
e dis qu'ele le vos donnast,
270 qant en France vos envoiast. »
— Sire, fet il, s'est verité. »
Baisié se sont e acolé,
merveilleuse joie menerent,
a .I. ostel ensemble alerent.
275 En Engleterre sont alé,
li filz a le pere mené
a sa mere, qui molt l'amot
e durement le desirrot.
El le reçut comme seignor
280 puis vesquirent a grant honor.
De lui e de son bon destrier

En les voyant Doon reconnut l'anneau qu'il avait donné à sa femme et son cœur fut rempli de joie et d'allégresse. A cet anneau il reconnut son fils[1].

— Jeune homme, dit-il devant tout le monde, quand vous avez jouté tout à l'heure avec moi, j'ai deviné que vous étiez de mon lignage, il y avait en vous une grande bravoure. Jamais un chevalier ne m'a porté un coup capable de me faire tomber de mon destrier et jamais personne ne m'en donnera un assez fort pour me renverser. Venez m'embrasser, je suis votre père. Votre mère est pleine d'orgueil, j'ai obtenu sa main au prix de lourds efforts. Après l'avoir épousée, je suis parti, je n'ai plus voulu la revoir, mais je lui ai confié cet anneau et je lui ai dit de vous le donner, quand elle vous enverrait en France.

— Seigneur, dit son fils, c'est la vérité !

Ils s'embrassèrent et s'étreignirent, inondés de joie et se rendirent ensemble dans le même logis. Ils allèrent ensuite en Angleterre. Le fils mena son père chez sa mère qui aimait son époux et désirait ardemment son retour. Elle l'accueillit comme son mari et ils vécurent depuis entourés d'honneurs. Sur l'histoire de Doon, de son bon destrier,

---

1. *il reconnut son fils* : l'anneau qui permet à un père de reconnaître son fils au cours d'un duel se trouve aussi dans le *Milun* de Marie de France. C'est un motif très répandu.

e de son filz qu'il ot molt chier,
e des jornees qu'il erra
por la dame que il ama,
285 firent les notes li Breton
du lay c'om apele Doon.

de son fils qu'il chérissait, du voyage qu'il entreprit
pour l'amour de sa dame les Bretons firent la musique
du lai qu'on appelle « Doon ».

CHI COMMENCE LI LAY DEL TROT

LAI DU TROT

Une aventure vos voil dire
molt bien rimee tire a tire,
com il avint vos conterai
ne ja ne vos en mentirai.
5 L'aventure fu molt estraigne,
si avint jadis en Bretaigne
a .I. molt riche chevalier
hardi e coragous e fier ;
de la Table Reonde estoit
10 le roi Artu que bien savoit
.I. bon chevalier honorer
e riches dons sovent doner.
Li chevaliers ot non Lorois
si ert del castel de Morois,
15 s'ot V.C. livrees de terre,
miex seant ne peüsciés querre ;
e si ot molt bele maison
close de haut mur environ,
e si ot molt parfont fossés
20 trestot de novel regetés ;
e desos le castel aprés
avoit rivieres e forés
ou li chevaliers vout aler
sovent por son cors deporter.
25 Tant k'il avint en .I. avril
al glorïous tans segnoril
k'il fu par .I. matin levés
Lorois, e molt bien acesmés :
il ot chemise de cainsil
30 vestue, delie e sobtil,
e s'ot une coroie çainte,
de pïors ai jo veü mainte.
Il ne resambloit mie sot,
car il ot vestu .I. surcot,
35 de chiere escarlate sanguine,

Je veux vous dire une aventure, mise en rimes d'un bout à l'autre ; je vous la raconterai telle qu'elle est arrivée, sans vous mentir d'un mot.

Ce fut une étrange aventure qui arriva jadis en Bretagne à un puissant chevalier, hardi, courageux, plein d'audace. Il était chevalier de la Table Ronde du roi Arthur qui savait parfaitement honorer un bon chevalier et prodiguer de riches dons. Ce chevalier s'appelait Lorois, seigneur du château de Morois ; il possédait cinq cents livrées[1] de terre, les mieux situées qui soient. Il avait une belle demeure, ceinte de hauts murs, avec de profonds fossés, récemment nettoyés. Au pied du château il y avait des rivières et des forêts où le chevalier se plaisait à aller pour prendre de l'exercice.

Il arriva qu'un jour au mois d'avril, à cette magnifique saison, il se leva de bon matin et s'habilla avec goût d'une chemise de lin souple et légère et d'une ceinture ; j'en ai vu beaucoup de moins belles. Il n'avait pas piètre allure, car il avait revêtu un surcot[2] de précieuse écarlate[3],

---

1. *livrées* : la livrée est une étendue de terre qui rapporte un revenu d'une livre. La livre était une unité de masse variant, selon les provinces, entre 380 et 550 grammes.
2. *surcot* : on passe le surcot sur la *cotte*. Cf. ce mot à la note 1 de la page 131.
3. *écarlate* : c'est un drap fin dont la couleur, qui n'était pas forcément rouge, variait beaucoup.

foree d'une pene ermine,
e si ert bel chauciés assés,
car il avoit chauciers fretés,
si avoit chauces detrancies
40 assés bien seanment chaucies.
Qant il fut chausiés e vestus
iluec ne volt demorer plus,
ains conmanda son escuier
k'il li amenast son destrier.
45 En la forest s'en veut aler
por le rossegnol escouter.
      Li vallés sans nul autre plait,
ce que ses sires volt a fait.
Il mist la sele en son ceval,
50 puis si li laisse le poitral,
e qant il i ot mis le frain
(li cevals n'iert pas mort de fain,
molt ot bel poil, bien fu gardé)
devant son segnor l'a mené
55 li vallés, sans nul autre conte ;
li chevaliers el ceval monte.
Ses escuiers li a es piés
uns esperons a or chauciés,
aprés li a çainte l'espee
60 dont l'eudeüre fu doree.
Qant ce ot fait, sans compaignon
s'en est issus de la maison.
Ensi en vait grant ambleüre
envers la forest a droiture,
65 les la riviere par le pré
u avoit flors a grant plenté
blanches e vermeilles e bloies ;
e li chevalier, totes voies,
s'en vait alques grant aleüre,
70 e si s'afiche bien e jure

doublée d'une fourrure d'hermine. Il était bien
chaussé, de belles chaussures à lacets, et portait des
chausses à crevés fort seyantes. Une fois habillé et
chaussé, sans perdre davantage de temps il ordonna à
son écuyer de lui amener son destrier : il voulait aller
dans la forêt pour écouter le rossignol. Le jeune
homme obéit sans discuter aux ordres de son maître, il
mit la selle à son cheval, ajusta le harnais sur le poitrail
et quand il eut disposé les rênes — le cheval était loin
d'être mort de faim, on l'avait bien soigné, son poil
était beau —, il le mena à son maître, sans autre dis-
cours. Le chevalier monta en selle, son écuyer lui fixa
aux pieds des éperons d'or, puis lui ceignit l'épée à la
garde d'or. Cela fait, le chevalier sortit de sa demeure
sans compagnon et s'en alla tout droit, à l'amble, vers
la forêt, le long de la rivière, à travers un pré couvert
de fleurs blanches, vermeilles et bleues.

   Le chevalier chevauchait à vive allure ; il se promet-
tait, il se jurait

c'ariere ne retornera
deci adont que il avra
le rossegnol que il n'avoit
oï .I. an passé estoit.
75 E qant la forest aprocha
Lorois devant lui esgarda ;
si voit de la forest issir
tot belement e a loisir
dusc'a .IIII.XX. damoiseles,
80 ki cortoises furent e beles,
s'estoient molt bien acesmees,
totes estoient desfublees,
ensi sans moelekins estoient,
mais capeaus de roses avoient
85 en lor chiés mis, e d'aiglentier,
por le plus doucement flairier.
Totes estoient en blïaus
sengles, por le tans ki ert chaus.
S'en i ot de teles assez
90 ki orent estrains les costés
de çaintures ; s'en i ot maintes
que por le chaut erent desçaintes ;
e si orent por miex seïr
lor treces fait defors issir
95 de lor ceveus, ki sor l'oreille
pendent, les la face vermeille.
La ot molt bele conpaignie,
cascune ert de bende trecie.
Totes blans palefrois avoient
100 que si tres souëf les portoient
k'il n'est hon, se sor .I. seïst,
se le palefroi ne veïst
aler, que por voir ne quidast
que li palefrois arestast,
105 e si aloient tot plus tost

de ne pas revenir avant d'avoir entendu le chant du
rossignol qu'il n'avait pas entendu depuis un an. A
l'approche de la forêt, Lorois regarda devant lui et en
vit sortir tout tranquillement jusqu'à quatre-vingts
demoiselles, courtoises et belles, richement parées,
sans manteau, sans coiffure, mais elles avaient posé
sur leur tête des couronnes de roses et d'églantiers en
raison de leur odeur suave. Beaucoup d'entre elles
portaient des ceintures serrées à la taille, d'autres
étaient sans ceinture à cause de la chaleur et pour être
plus à l'aise elles avaient laissé en liberté leurs tresses
qui pendaient sur leurs oreilles, le long de leur visage
aux vives couleurs. C'était un groupe bien agréable à
voir, avec ces tresses entrelacées de rubans. Toutes
avaient de blancs palefrois qui les portaient si doucement qu'assis sur l'un d'eux, sans le voir en mouve-
ment, on aurait dit qu'il restait immobile, alors qu'il
allait plus vite

que ne fesissiés les galos
sor le plus haut ceval d'Espaigne.
E sachiés dusqu'en Alemaigne
n'a riche duc, ne castelain
110 ki mie esligast le lorain
que la plus povre ki estoit
a son palefroi mis avoit ;
e sor .I. destrier delés li
avoit cascune son ami
115 cointe e mignot e bien seant
e envoisié e bien cantant ;
e si sachiés de verité
qu'il erent molt bien acesmé,
car cascun d'aus a bien vestu
120 cote e mantel d'un chier bofu,
forrés d'ermine e haut coés,
esperons d'or es piés fermés ;
e li destrier sor coi seoient
molt tost e molt souëf ambloient ;
125 e sachiés bien que l'un harnois
n'esligast mie .I. riches rois.
Entr'eus n'en avoit point d'envie,
car cascuns i avoit s'amie,
si se deduisoit sans anui ;
130 ces a celui, cele a cestui ;
li un baisent, li autre acolent,
e de tex i a ki parolent
d'amors e de chevalerie.
La ot molt delitouse vie.
135 E Lorois, ki les esgarda,
de la merveille se segna
e dist bien que ce est merveille,
jamais ne verra sa pareille.
E queque il s'esmerveilloit,
140 fors de la forest issir voit

que les plus grands chevaux d'Espagne au galop.
Sachez que jusqu'en Allemagne il n'était duc ni châ-
telain assez riche pour acheter le mors que la plus
pauvre d'entre elles avait à son palefroi. Chacune avait
près d'elle, monté sur un destrier, son ami, élégant,
mignon, séduisant, gai, qui chantait de tout son cœur.
Ils étaient somptueusement vêtus, chacun d'eux portait un manteau de précieuse soie brochée, à doublure
d'hermine et longue queue, des éperons fixés à leurs
pieds. Les destriers qu'ils montaient allaient doucement à l'amble et sachez qu'un riche roi n'aurait pas
pu acheter un de ces harnais. Ils ignoraient entre eux
l'envie, car chacun avait son amie et prenait son
plaisir, le cœur léger, chacun avec sa chacune. Les uns
embrassaient leur amie, les autres l'étreignaient, d'autres s'entretenaient d'amour et de chevalerie : c'était
une vie de délices.

A cette vue, Lorois se signa devant cette merveille,
se disant que c'était une vraie merveille et qu'il ne
verrait jamais sa pareille. Sur ce, il vit sortir de la forêt

.IIII.XX. dames tot alsi ;
s'avoit cascune son ami,
e totes erent acesmees
si con celes c'ai devisees.
145 S'aloient grant joie menant
e les autres aprés suant.
E .I. petit d'ileuc aprés,
avoit grant noise en la forest
de plaindre dolerousement.
150 Si vi puceles d'usc'a cent
fors d'iceste forest issir,
ki molt erent a mal loisir
sor noirs roncis, maigres e las,
e venoient plus que le pas,
155 seules, que home n'i avoient,
e en molt grief torment estoient.
Mais ce sachiés molt bien de fi
qu'eles l'avoient deservi,
ensi con vos m'orrés conter,
160 si vos me volés escouter.
Molt estoient en grief torment
e trotoient si durement
qu'il n'a el mont sage ne sot
ki peüst soffrir si dur trot
165 une lieueté seulement
por .XV. mile mars d'argent.
Les regnes de lor frains estoient
de tille, qui molt mal seoient,
e lor seles erent brisies,
170 en plus de cent lieus reloïes ;
e lor panel tot altresi
estoient de paille fori,
si que on les peüst sans faille
sievre .X. lieues par la paille
175 qui de lor paneaus lor chaoit.

quatre-vingts dames qui, elles aussi, avaient chacune
leur ami, dans les mêmes atours que celles dont je
viens de parler. Elles suivaient les autres, pleines de
joie. Peu après, un grand bruit se fit entendre dans la
forêt ; des plaintes douloureuses s'élevèrent. Il vit une
centaine de jeunes filles sortir de la forêt. Elles
venaient toutes seules, sans la compagnie d'hommes,
sur de noires bourriques maigres et épuisées. Elles
étaient en proie à de graves tourments. Mais,
sachez-le, elles l'avaient bien mérité, comme vous
m'entendrez vous le raconter, si vous voulez m'écouter[1].

En cette lourde détresse elles trottaient si durement
qu'il n'était personne au monde, sage ou sot, pour
supporter un trot si rude, seulement une lieue, même
pour quinze mille marcs d'argent. Les rênes de leurs
mors étaient en tiges de tilleul, malcommodes, et leurs
selles étaient brisées, rapiécées en plus de cent
endroits ; leurs coussins de selle étaient bourrés de
paille, si bien qu'on aurait pu facilement les suivre à la
trace sur dix lieues à cause de la paille qui tombait des
coussins.

---

1. *si vous voulez m'écouter* : l'idée de cette cavalcade de dames
vient peut-être d'André le Chapelain, chapelain de la comtesse
Marie de Champagne, qui raconte dans son *De amore* (traité de
l'amour courtois) qu'un chevalier vit arriver un cortège de dames,
sans amis et montées sur des chevaux boiteux.

Cascune sans estrief seoit,
e si n'orent solliers ne chauces,
ains estoient totes deschauces.
Les piés orent mal atornés,
180 car eles les orent crevés,
e de noir fros erent vestues,
si avoient les ganbes nues
dusc'as genols, e tos les bras
avoient desnués des dras
185 dusc'as coutes molt laidement ;
s'estoient en molt grief torment.
Sor eles tonoit e negoit,
e si grant orage faisoit
que nus ne le puist endurer
190 fors seulement de l'esgarder
la grant paine ne la dolor
qu'eles sueffrent e nuit e jor.
E Lorois, ki les esgarda
a poi que il ne s'en pasma ;
195 e qant tot ce ot esgardé,
n'a gaires iluec aresté
qant il voit homes dusc'a. C.
ki estoient en tel torment
con estoient les damoiseles
200 ki si hochoient les boëles.
E qant il ot tot ce veü,
n'a gaires iluec atendu
qant une dame venir voit
ki sor .I. sor ronci seoit,
205 e trotoit issi durement
que sachiés de fi que si dent
ensemble si s'entrehurtoient
que por .I. poi ne s'esmioient.
       Li chevalier, ki l'esgarda,
210 en li meïsme s'apensa

Chacune montait sans étriers, elles n'avaient ni souliers ni chausses et elles étaient pieds nus. Leurs pieds étaient en piteux état, pleins de gerçures. Vêtues de frocs noirs, elles avaient les jambes nues jusqu'aux genoux et leurs bras vilainement découverts jusqu'aux coudes. Il neigeait et tonnait sur leurs têtes, il faisait un si épouvantable orage qu'on n'aurait pas même pu supporter la vue de ces souffrances et de ces douleurs qu'elles enduraient nuit et jour.

Devant ce spectacle Lorois faillit perdre connaissance. Quand il eut tout examiné, il n'attendit guère, quand il vit une centaine d'hommes dans les mêmes tourments que ceux des demoiselles : leurs entrailles étaient secouées. Bientôt après il vit venir une dame montée sur une bourrique qui allait si rudement au trot — n'en doutez pas — que ses dents s'entrechoquaient au risque de se briser. Le chevalier la regardait et il se dit

que a la dame ira parler
por enquerrë e demander
quele merveille estre pooit
que devant lui passé estoit.
215 Le ceval broche durement,
envers la dame isnelement
vint Lorois, si le salua,
e la dame le regarda ;
un poi aprés molt lentement
220 sachiés que son salu li rent,
car a paines parler pooit
por son ceval que si trotoit.
E encore arestast la dame,
por ce ne hochoit pas mains s'ame,
225 car si li hopoit ses cevals,
k'i n'est ne chevelus ne caus,
se il sor le ceval seïst,
ja en tel lieu ne s'aërsist
a sele, a crigne, amont, n'aval
230 k'il ne chaïst jus del ceval ;
mais la dame n'en pot chaïr,
por ce en getoit maint sospir.
E lors li dist li chevaliers :
— Dame, fait il, molt volentiers
235 s'il vos plaisoit, quel gent ce sont
saroie, que ci passé sont.
Ele respont : « Jel vos dirai
al miex que dire le porrai,
mais ne puis gaires bien parler,
240 por ce me covient a haster.
Celes ki la devant s'en vont
entr'eles si grant joie font,
car cascune solonc lui a
l'omme el monde que plus ama ;
245 si le puet tot a son plaisir

qu'il irait parler à la dame pour lui demander quelles étaient les étrangetés qui avaient défilé sous ses yeux. Il éperonna vigoureusement son cheval, alla vers la dame et la salua. La dame le regarda, puis sans se presser lui rendit son salut, car elle pouvait à peine parler à cause du trot de son cheval. Même à l'arrêt son cœur n'aurait pas été moins secoué, tellement son cheval sautillait : n'importe quel cavalier qui l'aurait monté, cramponné à la selle ou à la crinière et ballotté de haut en bas, aurait fini par tomber à terre. Mais la dame n'en pouvait tomber, aussi poussait-elle de nombreux soupirs.

— Dame, lui dit alors le chevalier, s'il vous plaisait, j'aimerais savoir qui sont les gens qui sont passés par ici.

— Je vous le dirai, répondit-elle, du mieux que je le pourrai ; mais il m'est difficile de parler et donc je dois faire vite. Celles qui s'en vont là-devant sont remplies de joie, parce que chacune emmène l'homme qu'elle a le plus aimé au monde ; elle peut à son gré

baisier, acoler e sentir.
Ce sont celes ki en lor vie
ont Amor loialment servie
ki les amoient durement ;
250 bien fisent son conmandement.
Or lor en rent le guerredon
Amors, k'il n'ont se joie non.
Certes, eles sont a grant aise,
eles n'ont riens qui lor desplaise,
255 ne por yver, ne por oré
n'ierent eles la sans esté ;
si se poent a lor plaisir
colchier, reposer e dormir.
E celes ki s'en vont aprés
260 plaignant e sospirant adés
e ki trotent si durement
e ki sont en si grief torment
e ont taint e pales les vis,
sans homes cevalcent tot dis,
265 ce sont celes, ce sachiés bien,
c'ainc por Amor ne fisent rien ;
ne ainc ne daignierent amer.
Or lor fait molt chier comperer
lor grant orgoil e lor posnee.
270 Lasse ! Jo l'ai molt comperee,
ce poise moi que n'ai amé,
que ja en yver, n'en esté
n'arons nos repos ne sojor,
c'adés ne soions en dolor.
275 A molt dure eure fumes nees
qant d'amor ne fumes privees ;
mais ne nule dame ot parler
de nos, e nos mals raconter,
se ele n'aime en son vivant,
280 ce sachiés, bien certainement,

l'embrasser, l'enlacer, le caresser. Ce sont celles qui en leur vie ont loyalement servi Amour, qui ont aimé de tout leur cœur et ont bien observé ses commandements. Amour les en récompense en leur dispensant la joie ; elles sont heureuses, rien ne leur déplaît. Hiver ou tempête, peu importe, elles ne connaissent que les beaux jours ; elles peuvent selon leur plaisir se coucher, se reposer et dormir. Celles qui les suivent dans les plaintes et les soupirs, qui trottent si rudement, qui vivent en de pénibles tourments, qui ont le visage blême et pâle, qui chevauchent sans cesse sans un homme à leur côté sont celles, sachez-le, qui n'ont jamais rien fait pour Amour et n'ont jamais daigné aimer. Il leur fait maintenant payer cher leur orgueil et leur arrogance. Hélas ! Je l'ai moi aussi payé très cher, de n'avoir aimé et je le regrette. Hiver ni été nous n'aurons de repos ni d'accalmie à nos souffrances. Nous sommes nées sous une mauvaise étoile, étrangères que nous sommes à l'amour. Si une dame a entendu parler de nous et de nos malheurs et si elle ne connaît pas l'amour dans sa vie, soyez-en sûr,

qu'ele avoeques nos en venra,
ki trop tart s'en repentira ;
car li vilains nos seut conter :
ki a tart conmence a fermer
285 s'estable, cil ki a perdu
son ceval, dont est irascu.
Li cuers de nos est ensement :
repenties somes trop lent. »
    La dame a sa raison finee,
290 li chevalier l'a escoutee
molt bien e entendue l'a ;
aprés la route s'en ala.
Lorois iluec plus ne demore,
al castel de Morois retorne,
295 s'a l'aventure racontee
que la dame ot ramenbree
de harnas ; e mande as puceles,
as dames e as damoiseles
qu'eles se gardent del troter
300 car il fait molt meillor ambler
t... ...l... oit
deriere qui si dur trotoit.
Un lay en fisent li Breton,
le lay del Trot l'apele l'on.

305 Chi fine li lais del Trot

elle nous rejoindra et s'en repentira trop tard, car comme le dit le proverbe au vilain « qui ferme trop tard son écurie perd son cheval, ce qui le désespère ». Il en est de même pour notre cœur : notre repentir a été trop tardif.

La dame termina là ses propos. Lorois l'avait écouté très attentivement et il comprit bien la leçon. La troupe des dames s'éloigna et Lorois s'en retourna sur-le-champ au château de Morois. Il fit part de l'étrange aventure que la dame lui avait racontée en expliquant les raisons du tumulte. Il conseilla aux jeunes filles, aux dames, aux demoiselles de bien se garder du trot : il est bien préférable d'aller à l'amble.

Les Bretons en ont fait un lai qu'on appelle le lai du Trot. C'est ici qu'il se termine.

CE EST LE LAY DEL LECHEOR

LAI DU LIBERTIN

Jadis a Saint Pantelion,
ce nos racontent li Breton,
soloient granz genz asembler
por la feste au saint honorer,
5 les plus nobles e les plus beles
du païs, dames e puceles,
qui dont estoient el païs ;
n'i avoit dame de nul pris
qui n'i venist a icel jor ;
10 molt estoient de riche ator.
Chascuns i metoit son poër
en lui vestir e atorner.
La estoient tenu li plet
e la erent conté li fet
15 des amors e des drueries
e des nobles chevaleries ;
ce qu'en l'an estoit avenu
tot ert oï e retenu.
Lor aventure racontoient
20 e li autre les escoutoient.
Tote la meillor retenoient
e recordoient e disoient,
souvent ert dite e racontee
tant que de touz estoit loee.
25 .I. lai en fesoient entr'eus,
ce fu la costume d'iceus ;
cil a qui l'aventure estoit
son non meïsmes i metoit :
aprés lui ert li lais nomez ;
30 sachoiz ce est la veritez.
Puis estoit li lais maintenuz
tant que partout estoit seüz,
car cil qui savoient de note
en viele, en herpë e en rote,
35 fors de la terre le portoient

Jadis à la Saint-Pantaléon, nous racontent les Bretons, on avait coutume, pour honorer la fête du saint, de réunir un grand rassemblement, avec les dames et les jeunes filles les plus belles et les plus nobles du pays. Aucune de haut renom n'y manquait à ce jour, en riches atours. Chacun s'appliquait à s'habiller et à se parer. On plaidait là les procès, on racontait les amours, les intrigues galantes et les beaux exploits des chevaliers. On récapitulait pour en garder le souvenir tout ce qui était arrivé au cours de l'année. Les uns rappelaient leurs aventures, les autres les écoutaient. On en retenait la meilleure qu'on ne se lassait pas de redire et de rappeler, appréciée de tous ; la coutume était d'en faire un lai. Le héros de l'aventure donnait son nom au lai qui le portait désormais, c'est ainsi que tout se passait. Puis le lai restait en mémoire, il était partout divulgué, car les musiciens, artistes en vielle, en harpe et en rote le colportaient hors du pays,

es roiaumes ou il aloient.
    A la feste dont je vos di,
ou li Breton venoient si,
en .I. grant mont fu l'asemblee
40 por ce que miex fust escoutee.
Molt i ot clers e chevaliers
e plusors gens d'autres mestiers,
dames i ot nobles e beles
e meschines e damoiseles.
45 Qant du mostier furent parti
au leu qu'il orent establi
connunement sont assemblé,
chascuns a son fet reconté ;
s'aventure disoit chascuns,
50 avant venoient uns e uns ;
dont aloient apareillant
lequel il metroient avant.
Huit dames sistrent d'une part,
si disoient de lor esgart ;
55 sages erent e ensaingnies,
franches, cortoises e proisies :
c'estoit de Bretaingne la flors
e la proesce e la valors.
L'une parla premierement,
60 e dit molt afichiement :
— Dames, car me donnez conseil
d'une rien dont molt me merveil.
Molt oi ces chevaliers parler
de tornoier e de joster,
65 d'aventures, de drueries,
e de requerre lor amies ;
d'icelui ne tienent nul plet
por qui li grant bien sont tuit fet.
Par cui sont li bon chevalier ?
70 Por qoi aimment a tornoier ?

dans les royaumes où ils allaient.

A la fête dont je vous parle, où les Bretons venaient si nombreux, le rassemblement avait lieu sur une haute colline, pour qu'on entende mieux les récits. Il y avait là des clercs, des chevaliers, beaucoup de gens d'autres métiers, de nobles et belles dames, de toute jeunes filles, des demoiselles. Quand ils avaient quitté l'église pour l'endroit choisi, ils se réunissaient tous et chacun, s'avançant à tour de rôle, racontait son histoire ou son aventure et on décidait de celui qui aurait le prix.

Ce jour-là, huit dames sages, cultivées, nobles, courtoises, de bonne renommée étaient assises à l'écart et donnaient leur avis : c'était, pour le mérite et les qualités, la fleur de Bretagne. L'une d'elles prit la parole la première et parla sans réserve :

— Dames, conseillez-moi sur un point qui fait mon étonnement. J'entends toujours ces chevaliers parler de tournois, de joutes, d'aventures, de galanterie, de prières adressées à leurs amies ; mais ils oublient de dire pour qui tous ces exploits sont accomplis. Grâce à qui les chevaliers sont-ils braves ? Pourquoi aiment-ils les tournois ?

Por qui s'atornent li danzel ?
Por qui se vestent de novel ?
Por qui envoient lor joieaus
lor trecëors e lor aneaus ?
75 Por qui sont franc e debonere ?
Por qoi se gardent de mal fere ?
Por qoi aimment le donoier
e l'acoler e l'embracier ?
savez i nulë achoison
80 fors sol por une chose non ?
Ja n'avra nus tant donoié
ne biau parlé, ne biau proié,
ainz qu'il s'em puisse departir,
a ce ne veille revertir ;
85 d'ice vienent les granz douçors
por coi sont fetes les honors ;
maint homme i sont si amendé
e mis en pris, e em bonté,
qui ne vausissent .I. bouton
90 si par l'entente du con non.
La moie foi vos em plevis,
nule fame n'a si bel vis
par qu'ele eüst le con perdu,
ja mes eüst ami ne dru.
95 Qant tuit li bien sont fet por lui,
nu metons mie sor autrui ;
faisons du con le lai nouvel,
si l'orront tel cui ert molt bel.
Conmant qui miex savra noter
100 ja verrez toz vers nos torner. »
Les set li ont acreanté,
dïent que molt a bien parlé.
Le lai conmencent aïtant
chascun i mist e son e chant
105 e douces notes a haut ton ;

Pour qui se parent les jeunes gens ? Pourquoi sui-
vent-ils la mode ? Pourquoi font-ils cadeau de joyaux,
de rubans, d'anneaux ? Pourquoi sont-ils généreux et
obligeants ? Pourquoi se gardent-ils de faire le mal ?
Pourquoi aiment-ils faire la cour aux dames, les
embrasser et les étreindre ? Savez-vous leur unique
motif ? Toutes ces belles manières, ces belles paroles,
ces belles prières n'ont qu'un seul but qui explique les
gentillesses et le culte qu'on rend aux dames.
Combien d'hommes qui n'auraient pas valu un rotin
se sont améliorés, se sont signalés et illustrés par leur
courage à la pensée du con ! Je vous en donne ma
parole : une femme peut avoir un beau visage ; si elle
a perdu son con, elle n'aura jamais ami ni galant.
Puisque tout ce qu'on fait de bien est fait pour lui, ne
cherchons pas une autre raison. Faisons un lai nouveau sur le con, il plaira à ceux qui l'entendront. Vous
allez voir nous approuver le plus habile des musiciens !

Sept des dames tombèrent d'accord et dirent qu'elle
avait bien parlé. On se mit tout de suite à composer le
lai, chacun y contribua pour la musique et le chant,
sur un air agréable, au ton élevé ;

le lai firent cortois e bon.
Tuit cil qui a la feste estoient
le lai lessierent qu'il faisoient,
vers les dames se sont torné ;
110 si ont lor fet forment loé,
ensemble o eles le lai firent,
qant la bone matire oïrent ;
e as clers e as chevaliers
fu li lais maintenuz e chiers ;
115 molt fu amez, molt fu joïz,
encore n'est il mie haïz.
D'icest lai dïent li plusor
que c'est le lai du Lechëor ;
ne voil pas dire le droit non
120 c'on nu me tort a mesprison.
Selonc le conte que j'oï,
vos ai le lai einsint feni.

et on fit un lai raffiné, d'excellente qualité.

Tous ceux qui participaient à la fête renoncèrent au lai qu'ils étaient en train de composer pour se rallier aux dames ; ils les approuvèrent et apportèrent leur collaboration en apprenant ce beau sujet. Le lai fut fort apprécié des clercs et des chevaliers, bien accueilli et goûté de tous, et aujourd'hui encore on ne le déteste pas. Beaucoup l'appellent le lai du Libertin, mais je ne veux pas dire son vrai nom pour qu'on ne m'en fasse pas de reproche.

Je termine ce lai d'après le conte dont j'ai eu connaissance.

LE LAI DE NABAREZ

LAI DE NABARET

En Bretaigne fu li laiz fet
ke nus appellum Nabaret.
Nabaret fu un chevaler
pruz e curteis, hardi e fer ;
5 grant tere aveit en heritage ;
femme prist de mut haut parage,
noble, curteise, bele e gente.
Ele turna de tut s'untente
a li vestir e aturner,
10 e a lacié e a guimpler ;
orgiluse ert a demesure.
Nabaret n'eüst de ce cure ;
asez li plut de sa manere
tut ne parait ele si fere ;
15 mut durement s'en coruça,
a plusurz feiz la chastia ;
devant li e priveement
s'en coruça asez sovent
e dit ke pas n'esteit pur lui,
20 ke ententë at vers autrui.
Sa beuté li fut sufferable
e a sun oef trop covenable.
Qant el nel vot pur li laisser,
ne le guimpler ne le laicer
25 ne le grant orgoil k'el mena,
de ses parenz plusurs manda ;
la pleinte lur mustra e dit,
a sa femme parler les fit.
Parenz manda ço ke desplout,
30 ke durement li enuiout
k'ele se demenot issi.
Oiez cum ele respundi.
— Seignurs, fet ele, si vus plest,
si lui peise ke jo m'en vest
35 e ke jo m'atur noblement,

En Bretagne on fit un lai que nous appelons Nabaret.

Nabaret était un chevalier preux et courtois, hardi et fier ; il possédait en héritage une grande terre. Il épousa une femme de haut lignage, noble, courtoise, belle et avenante. Elle ne pensait qu'aux vêtements, aux toilettes, aux corsages bien ajustés à lacets, aux guimpes, vaniteuse outre mesure. Nabaret trouvait cela inutile, elle lui plaisait telle qu'elle était, sans ses grands airs. Cette conduite l'irritait et il en fit la remarque à sa femme à plusieurs reprises. En tête à tête et en privé il manifesta souvent sa colère, disant qu'elle ne se parait pas pour lui, mais pour aguicher autrui. Quant à lui, sa beauté lui suffisait et convenait à ses goûts.

Comme, pour l'amour de lui, elle ne voulait pas renoncer aux guimpes, aux corsages à lacets ni à l'air altier qu'elle prenait, il fit appel aux parents de sa femme, il leur exposa ses griefs et les envoya parler à son épouse. Il leur fit savoir son mécontentement et ce qui lui déplaisait dans le comportement de sa femme.

Ecoutez la réponse qu'elle fit :

— Seigneurs, je vous en prie, s'il grogne contre l'élégance de ma mise et de mes parures,

jo ne sai autre vengement.
Ço li dites, ke jo li mand
k'il face crestre sa barbe grant
e ses gernuns face trescher :
40 issi se deit gelus venger. »
Cil ki li respuns unt oï
de la dame, se sunt parti.
Asez s'en ristrent e gaberent,
en plusurs lius le recunterent
45 pur le deduit de la parole.
Cil ki de lais tindrent l'escole
de Nabarez un lai noterent
e de sun nun le lai nomerent.

je ne vois pour lui d'autre vengeance — et dites-le-lui !
— que de lui conseiller de laisser pousser sa grande
barbe et de faire tresser ses moustaches. C'est ainsi
qu'un jaloux doit se venger.

A cette réponse de la dame, ses parents partirent
dans un éclat de rire moqueur. Amusés par cette
repartie, ils la divulguèrent un peu partout.

Ceux qui enseignaient l'art du lai composèrent la
musique du lai de Nabaret et lui donnèrent ce nom.

BIBLIOGRAPHIE

Les Lais anonymes des XIIe et XIIIe siècles, édition critique par Prudence Mary O'Hara Tobin, Droz. Genève, 1976.

L'introduction de cette édition constitue la seule étude d'ensemble sur ces lais, avec un examen des sources, l'analyse des œuvres, considérations sur l'intérêt littéraire de chaque poème.

Mais les rapports souvent étroits entre nos lais et ceux de Marie de France invitent à connaître un peu ces derniers. Les lais anonymes ont traité, avec plus ou moins de liberté, plusieurs thèmes mis en œuvre par la poétesse. Par ailleurs, leur appartenance au genre du lai fait qu'ils relèvent d'une même esthétique. On lira donc avec profit, ne serait-ce que pour avoir des points de comparaison :

BÉDIER (Joseph), « Les lais de Marie de France », *Revue des Deux-Mondes,* CVII, 1891.

HOEPFFNER (Ernest), « Les lais de Marie de France », *Revue des Cours et Conférences,* Paris, 1935.

FRANCIS (E.A.), « Marie de France et son temps », *Romania,* t. LXXII, 1931, pp. 48-99.

MÉNARD (Philippe) *Les Lais de Marie de France,* PUF, 1979.

Et l'introduction à l'édition des *Lais de Marie de France,* par Jeanne Lods, Classiques français du Moyen Age, Champion, Paris, 1959.

TABLE

Préface 5

LAIS FÉERIQUES

Lai de Graelent, *C'est le lay de Graalent* 19

Lai de Guingamor, *C'est le lay de Guingamor* 63

Lai de Désiré, *Le lai de Desiré* 105

Lai de Tydorel, *C'est le lay de Tydorel* 151

Lai de Tyolet, *Le lay de Tyolet* 181

Lai de l'Aubépine, *Chi commenche li lais de l'espine* . 225

Lai de Mélion, *Chi comenche Melion* 257

Lai de Doon, *C'est le lay de Doon* 293

Lai du Trot, *Chi commence li lay del Trot* 313

Lai du libertin, *Ce est le lay del Lecheor* 333

Lai de Nabaret, *Le lai de Nabarez* 343

Bibliographie 349

GF Flammarion

04/12/111311-XII-2004 – Impr. MAURY Eurolivres, 45300 Manchecourt.
N° d'édition FG067208. – Août 1992. – Printed in France.